Nordische Mythen

R.I. Page

Nordische Mythen

Eine Einführung

Aus dem Englischen übersetzt
von Ingrid Rein

Mit 26 Abbildungen
und 1 Karte

Reclam

Titel der englischen Originalausgabe:
Norse Myths. London: British Museum Press, 1990. (The Legendary Past.)

RECLAM TASCHENBUCH Nr. 20374

Umschlaggestaltung: Anja Grimm Gestaltung, Hamburg
Umschlagabbildung: Schnitzereien am Portal der Stabskirche von Hylestad, Norwegen, 12. Jh. (Universitetets Oldsaksamling, Oslo): Sigurd stößt dem Drachen das Schwert in den Leib (© akg-images)
Gesamtherstellung: Reclam, Ditzingen. Printed in Germany 2016
RECLAM ist eine eingetragene Marke der
Philipp Reclam jun. GmbH & Co. KG, Stuttgart
ISBN 978-3-15-020374-3

www.reclam.de

Inhalt

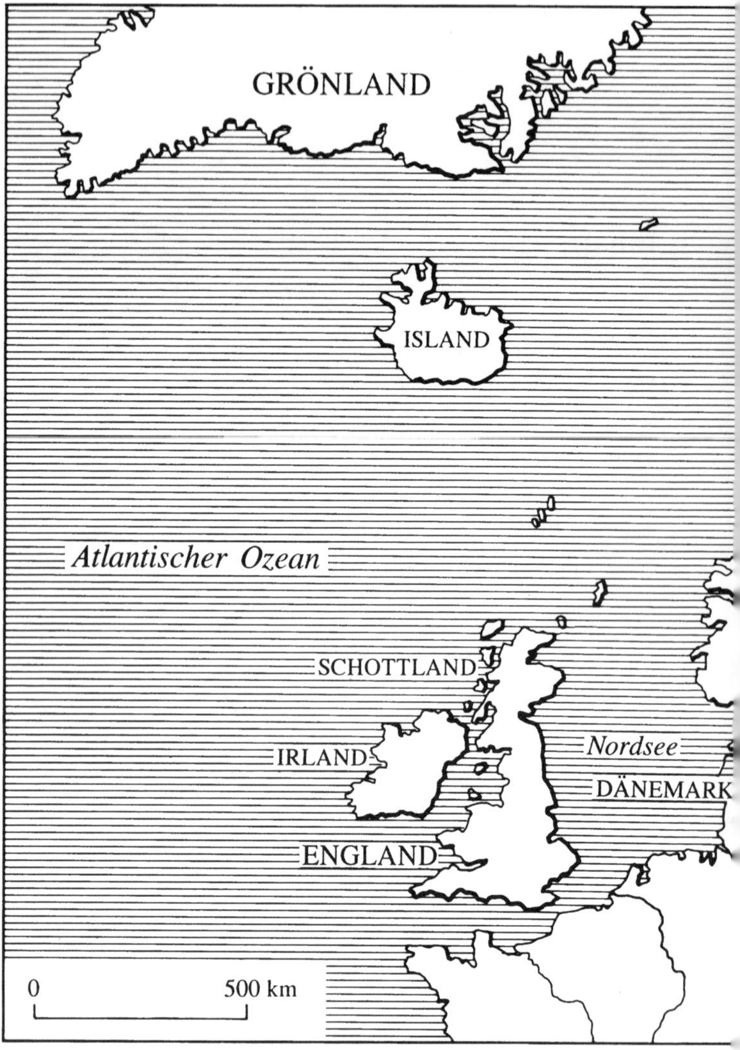
GRÖNLAND
ISLAND
Atlantischer Ozean
SCHOTTLAND
IRLAND
Nordsee
DÄNEMARK
ENGLAND
0
500 km

NORWEGEN
SCHWEDEN
Ostsee

Einleitung

Ein Mythos ist nach einer weit verbreiteten Definition »eine rein fiktive Erzählung, die sich gewöhnlich um übernatürliche Wesen, Taten oder Ereignisse rankt und irgendeine volkstümliche Vorstellung von natürlichen oder geschichtlichen Phänomenen gestaltet«; relativierend wird hinzugefügt, der Begriff werde häufig auch weiter gefaßt und schließe dann »jede Erzählung, die fiktive Elemente aufweist«, ein. In diesem Buch verwende ich das Wort »Mythos« weder so frei wie in dieser zweiten Definition noch so eng wie in der ersten. Zwar handeln die meisten der hier nacherzählten Geschichten von übernatürlichen Wesen und Taten und gewähren somit einen Einblick in das heidnische nordische Denken, wie es uns durch mittelalterliche Schriftsteller überliefert ist. Aber nicht alle sind rein fiktiv. Einige der im letzten Kapitel vorgestellten Geschichten, die von Kampf, Mord und plötzlichem Tod in einer Gesellschaft von Helden berichten, haben ihren Ursprung in historischen Ereignissen. Die meisten Kapitel behandeln jedoch Mythen über die Götter und Göttinnen des heidnischen Skandinavien aus der Wikingerzeit. Einige dieser Mythen gestalten fraglos Vorstellungen von Naturphänomenen (das dürfte vermutlich auch der Anlaß für ihre Entstehung sein); diese werden wahrscheinlich vor allem Leser ansprechen, die sich mit modernen mystischen Kulten befassen. Für andere Geschichten galt dies möglicherweise ebenfalls, doch sind sie undurchsichtig, und da ich weder Anthropologe noch Volkskundler bin, kann ich über ihre Absichten nur Mutmaßungen anstellen. Wieder andere scheinen zur Unterhaltung erzählt worden zu sein, und als Unterhal-

Heidnische wikingische Grabsteine bei Lindholm Høje in Jütland (Dänemark). Die Steine sind schiffsförmig angeordnet

tung werden sie wohl auch von den meisten modernen Lesern verstanden.

Aus den erhalten gebliebenen Quellen geht hervor, daß die Nordländer eine Vielzahl von Göttern und Göttinnen kannten. Über einige von ihnen wissen wir kaum etwas, wie etwa über Uller, einen hervorragenden Bogenschützen, Schneeschuhläufer und Kämpfer, oder über Wara, die Göttin, »die Eide und Verträge, welche Männer und Frauen zusammen schließen, hört [...] und diejenigen straft, welche sie brechen«.* Solche Gottheiten sind für moderne Leser kaum mehr als Namen, obgleich zu ihrer Zeit über sie, ebenso wie über ihre Götterkollegen, Mythen in Umlauf gewesen sein mögen. Zwangsläufig stehen indes die Mythen über die bedeutenden Götter und Göttinnen Skandinaviens im Zentrum dieses Buches, auch wenn wir uns immer bewußt sein sollten, daß das, was uns überliefert ist, nur eine kleine und zweifellos zufällige Auswahl aus der Fülle dessen ist, was einst existierte.

Am bekanntesten sind die Götter aus dem Geschlecht der Asen, die eine der beiden Hauptgruppen im nordischen Pantheon bildeten. An ihrer Spitze stand ODIN, der Allvater, Gott der poetischen Inspiration, des Geheimnisvollen und der Zauberei, Schutzherr der Krieger. Er war mit FRIGG verheiratet, der Göttin, die das Schicksal aller Menschen kannte. Andere Götter werden oft als Odins Kinder bezeichnet. An erster Stelle stand THOR, ein kriegerischer Gott, Verteidiger der Asen gegen ihre natürlichen Feinde, die Riesen. Er heiratete SIF, über die außer der Tatsache, daß ihr Haar aus Gold war, wenig bekannt ist. Weitere Söhne Odins waren BRAGI, der Gott der Beredsamkeit und Dichtkunst, verheiratet mit der wichtigen Göttin IDUN, die die Äpfel der ewigen Jugend hütete, sowie der hübsche, aber glücklose BALDER, der mit NANNA verheiratet war und von seinem Bruder, dem blinden Gott HÖD, getötet wurde. Auch TYR, der tapfere und weise Kriegsgott, der seine Hand bei dem Versuch einbüßte, den gefürchteten Fenris-

* Hier wie an zahlreichen anderen Stellen wird zitiert nach der von Karl Simrock übersetzten und erläuterten Ausgabe *Die ältere und jüngere Edda und die mythischen Erzählungen der Skalda*, Essen ³1987.

Einäugige Figur.
Sie gilt als Darstellung Odins, weil Odin die einzige einäugige Gestalt von Bedeutung in der skandinavischen Mythologie ist

wolf zu fesseln, galt als Sohn Odins. Eine geheimnisvollere Gestalt ist HEIMDALL, der den Zugang zum Reich der Götter, Asgard, bewachte und das unmittelbare Bevorstehen der letzten Schlacht ankündigt, die mit dem Untergang der Götter in dieser Welt endet. Er war mit LOKI verfeindet. Loki, eine schillernde Gestalt, halb Gott, halb Dämon, war ein Sohn des Riesen Farbauti und mit der treu zu ihrem Gatten stehenden Sigyn verheiratet. Er hatte indes auch Nachkommen von der Riesin Angrboda, die sich als wahrlich unheilvoll erwiesen: der Fenriswolf, die Midgardschlange Jörmungand und Hel, die Herrscherin über das Totenreich.

Seite an Seite mit den Asen lebte eine Gruppe von Göttern aus dem Geschlecht der Wanen, Gottheiten der Fruchtbarkeit und des Wohlstands. Diese Götter waren Njörd, Frey und Freyja. NJÖRD war der Gott der Seefahrt, des Fischfangs und des Reichtums. Er heiratete die Riesin Skadi; da sie sich jedoch nicht über ihren gemeinsamen Wohnsitz einigen konnten, trennten sie sich bald wieder. Njörds Kinder waren die Zwillinge FREY und FREYJA, die auch miteinander verheiratet gewesen sein sollen. Später heiratete Frey Gerd, eine schöne Riesin, und Freyja einen Mann mit Namen Od. Frey und Freyja geboten über Fruchtbarkeit und Ernteertrag.

Darüber hinaus gab es eine ganze Reihe von unbedeutenderen Gottheiten wie Hönir, Kwasir, Gefjon, Wali, Wili, We, Widar u. a. sowie eine Vielzahl anderer übernatürlicher Wesen unter dem Rang von Göttern: Zwerge, Elfen, Nornen, Hexen, Walküren. Die größten Feinde der Götter waren jedoch die Jöten (*iǫtnar*, Sg. *iǫtunn*), ein Wort, das gewöhnlich als »Riesen« übersetzt wird; für diese steinalten, häßlichen, meist übelwollenden Geschöpfe wäre eine Bezeichnung wie »Dämonen« oder »Kobolde« gleichermaßen angemessen.

Bei der Übertragung altnordischer Namen (und anderer Begriffe) wird es immer eine gewisse Willkür geben, und dies ist zugegebenermaßen auch im vorliegenden Werk der Fall. Wenn ich einen Namen oder ein Wort kursiv wiedergebe, handelt es sich dabei um die altnordische/isländische »Standardform«. Diese wird zuweilen ungewöhnliche Buchstaben enthalten; die wichtigsten davon sind

Runenstein von Hanning (Dänemark), dessen Inschrift mit einem Hammersymbol endet (oben links), das gelegentlich als Hinweis auf Thor gewertet wurde. Allerdings könnte es sich aufgrund der späten Entstehungszeit (12. Jh.) auch um ein Handwerkersymbol handeln

þ und *ð*, die die Nordländer für die verschiedenen Laute verwenden, welche etwa im modernen Englisch durch *th* wiedergegeben werden. Ist der Name dagegen normal geradstehend gedruckt, stellt er eine Adaption der Standardform dar, ohne Flexionsendung oder Akzent und mit einer möglichen Adaption von Buchstaben wie *d* für *ð*: also etwa Odin statt *Óðinn*. Dies kann gelegentlich zu Problemen führen, wenn ich latinisierte Formen zitiere, wie Othinus statt Odin oder Frothis statt Frodi (*Froði*). Zuweilen ist auch ein Name oder Beiname ganz eingedeutscht wiedergegeben: es erscheint widersinnig, von Eirik Blodox (*Eiríkr blóðox*) zu sprechen anstatt von Erik Blutaxt.

Miniaturgoldfolien aus Norwegen. Diese Abbildungen wurden – allerdings ohne zwingenden Grund – zuweilen als Frey und Gerd interpretiert

Wo man nordische Mythen findet

Erwähnt man das Wort »Nordmänner«, so wird man zunächst an die Wikinger denken, diese wagemutigen, oft skrupellosen Völker, die in den drei Jahrhunderten zwischen 800 und 1100 Länder im Osten und Westen von Skandinavien eroberten, plünderten, kolonisierten, mit ihnen Handel trieben, sie entwickelten und zuweilen sogar zivilisierten. Daß diese Menschen einer heidnischen Religion anhingen und eine durchaus vielschichtige heidnische Mythologie hatten, steht außer Zweifel. Wieviel von beidem wieder zugänglich gemacht werden kann, ist weniger klar. Abgesehen von ihren Runeninschriften waren die Wikinger Analphabeten, so daß es nur wenige schriftliche Dokumente über ihren Glauben und noch weniger über ihre Mythen gibt. Alles, was wir heute über wikingische Religion und Mythologie wissen, entstammt entweder Schriften aus nichtskandinavischen Ländern, sofern es sich um Quellen aus der Wikingerzeit handelt, oder aus dem nachwikingischen Skandinavien. Die Schriften aus dem nichtskandinavischen Bereich wurden von Christen verfaßt, die den Idealen, dem Glauben und dem Verhalten der Wikinger wenig Sympathie entgegenbrachten, weshalb sie auch recht spärlich sind. Späteren skandinavischen Schriften mögen zwar wikingische Quellen zugrunde liegen, doch ist es schwierig, festzustellen, wie genau und treffend diese wiedergegeben werden; zudem ist ihre Ausdrucksweise häufig von Denk- und Schreibweisen beeinflußt, die bereits europäisch und christlich geprägt sind.

Das Christentum faßte im skandinavischen Stammland erst spät Fuß. In Dänemark fand nach der Taufe von König Harald Blauzahn um die Mitte des 10. Jahrhunderts eine breite, gleichsam von oben verordnete Hinwendung zu der neuen Religion statt. Norwegen folgte gegen Ende des 10. und während der ersten Jahrzehnte des 11. Jahrhunderts, Schweden noch später. Die Isländer nahmen, sofern ihre mittelalterlichen Geschichtsschreiber richtig informiert waren, um das Jahr 1000 das Christentum formal an. Wikingische Siedler in anderen Gebieten wurden möglicherweise schon früher Christen, gemessen an der westeuropäischen Entwicklung war dies aber immer noch verhältnismäßig spät. Die nordischen Siedler in Ostanglien prägten Münzen zum Gedenken an König Edmund, einen christlichen Heiligen, nachdem sie ihn ein paar Jahrzehnte zuvor zu Tode gemartert hatten. Die Siedler auf der Insel Man stellten im 10. Jahrhundert Gedenkkreuze auf; zu diesem Zeitpunkt gingen sie bereits Mischehen mit den eingeborenen christlichen Kelten ein.

Eine Speckstein-Gußform für den Heiden und den Christen – sowohl der Thorshammer als auch das christliche Kreuz konnten damit hergestellt werden

Der Fenriswolf greift Odin am Weltenende an. Einer von Odins Raben sitzt unbekümmert auf der Schulter des Gottes. Abbildung auf einem Gedenkstein in Andreas (Insel Man)

Freilich ist nicht anzunehmen, daß die Verbreitung des Christentums radikale Veränderungen im nordischen Brauchtum oder Glauben herbeiführte. Ein irischer Nordländer konnte, so erfahren wir, durchaus an Christus *und* an Thor glauben. Die christlichen Mythen haben die nordischen Mythen in vielen Fällen nicht verdrängt, sondern sie vielmehr ergänzt oder durchsetzt. Das große Kreuz aus dem 11. Jahrhundert auf dem Friedhof von Gosforth in der englischen Grafschaft Cumbria zeigt eine eingemeißelte Kreuzigungsszene, daneben aber auch andere Abbildungen, die man als Darstellungen nordischer Göttermythen interpretiert hat. In Andreas auf der Insel Man ist auf dem Fragment eines Hochkreuzes ein mit einem Speer bewaffneter Mann zu sehen, der von einem wilden Tier angefallen wird. Offenbar handelt es sich dabei um den furchterregenden Fenriswolf, der Odin am Weltenende angreift.

Unsere Suche nach zeitgenössischen Hinweisen auf wikingische Mythen führt uns also nicht zu schriftlichen Quellen, sondern zu

Amulett in Form des Thorshammers, das als Anhänger getragen wurde. Aus Rømersdal (Dänemark)

Silberanhänger aus Island mit einer Riemenöse in Form eines Tierkopfes, der entweder christliches Kreuz oder Thorshammer darstellen kann

Werken der Steinmetzkunst, oder zu Miniaturen wie den Hammerkopfamuletten, die gelegentlich in wikingischem Kontext auftauchen und zeigen, daß schon damals Geschichten über Thor verbreitet waren, zu dessen drei Insignien der Hammer mit dem kurzen Griff gehörte, oder, weit weniger deutlich, zu einer kleinen Gruppe von Figurinen, die einige für Statuetten von Göttern mit ihren charakteristischen Attributen hielten, andere – prosaischer – für Figuren irgendeines Brettspiels. Ist uns indes an ausführlichen Fassungen der Mythen gelegen, so sind wir auf die Schriften aus dem Skandinavien der Nachwikingerzeit angewiesen, mit all den Problemen der Verfälschung und Ungenauigkeit, die mit dieser späten Überlieferung einhergehen.

Die Lieder-Edda

Unser Wissen stützt sich auf drei Hauptquellen. Die erste ist die *Lieder-Edda* oder *Ältere Edda*, eine Sammlung von lose zusammenhängenden Texten, kürzeren oder mittellangen Gedichten (»Liedern«). Den Kern dieser Sammlung bildet eine als *Codex Regius* bekannte Handschrift, so benannt, weil sie jahrhundertelang eine Kostbarkeit der Königlichen Bibliothek zu Kopenhagen darstellte, ehe sie 1971, gemäß einer Vereinbarung zwischen der dänischen und der isländischen Regierung, in ihre Heimat zurückkehrte. Der *Codex Regius* ist eine in der zweiten Hälfte des 13. Jahrhunderts, also fast 300 Jahre nach der Christianisierung Islands, niedergeschriebene Pergamenthandschrift. Sie umfaßt 29 Lieder, von denen elf mythologische Themen aufgreifen; bei 16 anderen sowie zwei Fragmenten stehen Helden und Heldinnen des germanischen Altertums im Mittelpunkt. Daneben existieren weitere Handschriften, in denen einige formal und inhaltlich ähnliche Gedichte erhalten sind; Verszitate in Prosaschriften verweisen auf weitere Texte, die aber, mit Ausnahme der zitierten Stellen, nicht überliefert sind. Was uns erhalten geblieben ist, stellt praktisch nur eine zufällige Auswahl einer Versliteratur unbekannten Umfangs dar. Dies muß uns bei unseren Versuchen, aus dem überlieferten Material Schlüsse zu ziehen, stets bewußt sein.

Darüber hinaus läßt sich zwar verhältnismäßig leicht sagen, wo und wann der *Codex Regius* geschrieben wurde; eine Bestimmung von Entstehungsort und -zeit der Eddalieder selbst ist indes äußerst schwierig, vielleicht sogar unmöglich. Unbekümmert vereint der *Codex Regius* zu verschiedenen Zeiten und in verschiedenen Ländern entstandene Werke. Einige der Lieder mögen bis in die frühen Jahre der Wikingerzeit zurückgehen; andere stammen möglicherweise erst aus dem 12. Jahrhundert, als die skandinavische Zivilisation bereits in das europäische Mittelalter eingetreten war. Einige mögen in Norwegen entstanden sein, andere in den westlichen Siedlungen, vielleicht in Irland oder Grönland.

Die Eddalieder sind mehr oder weniger strophisch und mit gewissen metrischen Variationen angelegt, wodurch sie ein recht homogenes Erscheinungsbild bieten. Dennoch sind die mythologischen Lieder in Inhalt und Bearbeitung recht unterschiedlich. Manche sind balladenhaft erzählend und enthalten eine Folge von rasch wechselnden, mit direkter Rede durchsetzten Szenen, die die Abenteuer der Götter schildern. Bei anderen handelt es sich um Frage- und Antwort-Gedichte, Dialoge zwischen übernatürlichen Wesen, die mythologischen Wissensstoff vermitteln sollen. Gelegentlich stößt man auch auf eine Strophenfolge, die überlieferte Weisheiten oder einer der Gottheiten zugeschriebene Sprüche enthält. Alle diese Lieder verraten viel über das Bild, das sich die Nordländer von ihren Göttern machten, häufig allerdings so indirekt und auf Andeutungen beschränkt, daß der Zuhörer auf bereits vorhandene Kenntnisse zurückgreifen muß, um eine beiläufige Anspielung zu verstehen.

Ein Beispiel dafür ist eines der einfachsten erzählenden Lieder, *Þrymskviða*, die Geschichte des Riesen-Königs Thrym. Sie beginnt damit, daß Thor eines Morgens aufwacht und wie jeden Tag nach seinem kostbaren Hammer greift, der ihm Macht und Sicherheit verleiht. Doch der ist nicht mehr da, wurde gestohlen. Thor muß ihn finden und zurückholen, da andernfalls die Riesen in das Reich der Götter eindringen und sie vernichten werden. Zusammen mit seinem Freund Loki, einem Gott, dessen Eigenschaften von Dreistigkeit und Schalkhaftigkeit bis zu abgefeimter Bosheit reichen, sucht er die schöne Göttin Freyja auf und bittet sie um ihr Federhemd, damit einer von ihnen über die Erde fliegen könne, um den Hammer zu suchen. Freyja leiht es ihnen bereitwillig. Loki legt das Hemd an und fliegt von Asgard, dem Wohnsitz der Götter, in das Reich der Riesen. Er begegnet Thrym, der sich damit brüstet, den Hammer versteckt zu haben, und nicht bereit ist, ihn zurückzugeben, es sei denn, die Götter schickten ihm Freyja als Braut. Loki fliegt zurück und erstattet Thor Bericht. Erneut begeben sie sich gemeinsam zu der schönen Freyja – hier finden wir im Lied eine balladenhafte Wiederholung – und fordern sie auf, unverzüglich ihr Brautgewand anzulegen, da sie als Thryms Braut nach Riesenheim müsse:

Wild ward Freyja, sie fauchte vor Wut,
Die ganze Halle der Götter erbebte;
Der schimmernde Halsschmuck schoß ihr zur Erde:
»Mich mannstoll meinen möchtest du wohl,
Reist ich mit dir gen Riesenheim.« (13)*

Die Götter berufen eilig eine Versammlung ein, und einer von ihnen, der umsichtige Heimdall, hat eine Idee: Thor soll Frauenkleider anlegen und als Freyja zu Thrym fahren:

Da sprach Thor also, der starke Gott:
»Mich würden die Asen weibisch schelten,
Legt ich das bräutliche Linnen mir an.« (17)

Die Götter entkräften seine Einwände, stecken ihn in das Brautgewand und schicken ihn zusammen mit dem als Thors Magd verkleideten Loki auf die Reise. Thrym und die Riesen lassen sich überraschenderweise täuschen, doch Thor verrät sich während der Hochzeitsfeier beinahe, denn er verschlingt und trinkt solche Unmengen, daß Thrym über den maßlosen Appetit seiner Braut zutiefst entsetzt ist. Nur Lokis Schlagfertigkeit ist es zu verdanken, daß sie der Entdeckung entgehen: Er entschuldigt »Freyja« damit, daß sie vor lauter Sehnsucht nach Riesenheim acht Tage lang nichts zu sich genommen habe. Thrym läßt die Entschuldigung gelten und will seiner Braut nun den Brautkuß geben. Als er ihren Schleier hebt, schrickt er zurück:

Wie furchtbar flammen der Freyja die Augen!
Mich dünkt, es brenne ihr Blick wie Glut. (27)

* Hier wie überall dort, wo die Strophenzählung angegeben ist, wird zitiert nach den beiden in Reclams Universal-Bibliothek erschienenen Auswahlbänden *Götterlieder der Älteren Edda*, nach der Übers. von Karl Simrock bearb. und eingel. von Hans Kuhn, Stuttgart 1991, und *Heldenlieder der Edda*, übertr., eingel. und erl. von Felix Genzmer, Stuttgart 1951 [u. ö.].

Auch hier ist Loki um eine Ausrede nicht verlegen: Wieder macht er Freyjas Sehnsucht nach Riesenheim geltend, die ihr acht Nächte lang den Schlaf geraubt habe. Thrym will nun endlich mit Freyja vermählt werden. Er befiehlt, daß der heilige Hammer gebracht werde, um seine Braut damit zu weihen. Beim Anblick des Hammers frohlockt Thor. Er bringt ihn rasch an sich und erschlägt damit Thrym und seine ganze Sippschaft. So bekommt der Gott seinen Hammer zurück.

Die Geschichte wird witzig und unterhaltsam erzählt. Selbst für jemanden, der sich noch nicht weiter mit den nordischen Göttern beschäftigt hat, ist sie amüsant. Freyjas Zorn ist indes noch amüsanter, wenn man weiß, daß sie die Göttin der Fruchtbarkeit und der körperlichen Liebe und notorisch »mannstoll« ist. Zudem ist es hilfreich, etwas über die moralischen Ansichten der Nordländer zu wissen. Thors entsetzte Reaktion auf den Vorschlag, er solle Frauenkleider tragen, hat eine pikante Note, erfüllte doch alles Weibische an einem Mann die Wikinger mit Verachtung, und Thor galt als der Inbegriff von Kraft und Männlichkeit, auch wenn er nicht gerade der Intelligenteste war. Angesichts der Schärfe des Witzes stellt sich unwillkürlich die Frage: Welche Art von Dichter konnte solche Verse schreiben? Wir wissen nicht, wann sie verfaßt wurden, sicher ist nur, daß es vor dem Ende des 13. Jahrhunderts gewesen sein muß. Konnte ein Heide sich über seine Götter derart lustig gemacht haben, während er gleichzeitig auf ihre Hilfe vertraute? Oder ist »Des Hammers Heimholung« das Werk eines spottenden Christen, der diese falschen Götter verachtete? Wenn letzteres zutrifft, handelt es sich dann um eine authentische Geschichte aus der nordischen Mythologie, oder wurde sie nur erfunden und geschrieben, um den alten Glauben zur Zielscheibe des Spotts zu machen? Die Debatte geht weiter.

Doch da ist auch das Lied mit dem Titel *Hávamál*, »Des Hohen Lied«. Dabei handelt es sich um ein komplexes Werk, bestehend aus einer Anzahl einzelner Strophengruppen, die schon früh unter einem gemeinsamen Titel gesammelt worden waren. Wann genau, ist strittig. Einige sind der Meinung, es sei eine zufällige Auswahl alter Verse, deren verbindendes Element die Persönlichkeit des großen Gottes Odin, »des Hohen« höchstpersönlich, darstellte. Andere betrachten es als gelehrte Sammlung und Ausgabe möglicherweise aus dem 12. Jahrhundert. In beiden Fällen stimmt die Mehrheit der Wissenschaftler darin überein, daß *Hávamál* sehr alte Stoffe vereinigt, die wahrscheinlich aus der Wikingerzeit stammen: Es verrät uns also etwas über das Weltbild der Wikinger.

»Des Hohen Lied« ist über weite Strecken eine Spruchsammlung; es gibt nützliche, sachlich-nüchterne Ratschläge, wie man sein Leben führen soll. Es geht um Freundschaft, um ihre Verpflichtungen und ihre Wohltaten, um die Pflichten der Gastfreundschaft, darum, wie wichtig es ist, Vorsicht walten zu lassen und einen klaren Kopf zu bewahren, um Armut und ihre Mühen, darum, wem man trauen kann und wem nicht, um die Notwendigkeit, von anderen geachtet zu werden, usw. – durchweg Themen, die einem Gott der Weisheit und Erfahrung angemessen sind. Auch Magisches kommt vor, Formeln und Zaubersprüche, wie es sich für einen Gott des Zaubers ziemt. Gelegentlich sind auch erzählende Abschnitte eingebaut. Unmittelbar im Anschluß an eine Strophengruppe, in der einem unbekannten Loddfafnir Lehren erteilt werden, und unmittelbar vor einer Aufzählung von Zaubersprüchen, die jemand, vermutlich Odin, beherrscht, stoßen wir – in »Odins Runenlied« – auf einige verwirrende Verse:

Ich weiß, daß ich hing am windigen Baum
Neun lange Nächte,
Vom Speer verwundet, dem Odin geweiht,
Mir selber ich selbst,
Am Ast des Baums, dem man nicht ansehn kann,
Aus welcher Wurzel er wächst. (138)

Sie boten mir nicht Brot noch Horn;
Da neigt ich mich nieder,
Nahm die Runen auf, nahm sie schreiend auf,
Fiel nieder zur Erde. (139)

Das ist in der Tat recht geheimnisvoll. Die Zuhörer müssen den Sachverhalt gekannt haben (handelt es sich allerdings um eine zufällig erhaltene Textstelle aus einem längeren Gedicht, so mag das ursprüngliche Werk durchaus detailliertere Angaben enthalten haben); aber worum ging es? Meines Wissens ist in keinem anderen Werk der nordischen Literatur irgendeine Version dieses Mythos erhalten, so daß wir über seine Bedeutung und seinen Kontext nur Vermutungen anstellen können. Es scheint sich um eine Art schamanistischer Prüfung zu handeln, der Odin sich unterzog, um einen esoterischen Zauber zu erlernen, den Runenzauber. Wir kennen aus der nordischen Überlieferung Dinge, die einige der im Mythos angedeuteten Einzelheiten stützen. So wissen wir, daß in der Nähe des großen Tempels von Uppsala in Schweden Tiere und Menschen an Bäumen des heiligen Hains als Opfer für die Götter aufgehängt wurden. Wir wissen auch, daß Odin den Beinamen »Gott der Gehängten« hatte. Wir wissen, daß der Speer seine bevorzugte Waffe war. Wir wissen, daß er die Runen beherrschte und daß man glaubte, diese seltsamen Schriftzeichen verliehen Zauberkräfte. Aber es ist keine Geschichte über Odin erhalten, die die kurze und mysteriöse Passage aus *Hávamál* erhellen würde. Darüber hinaus weisen die Ereignisse, so wie sie hier geschildert werden, verwirrende Ähnlichkeiten mit dem christlichen Mythos auf: Christus, ans Kreuz geschlagen, von einem Speer durchbohrt, von Durst gequält, gelangt zur Vollendung seiner Göttlichkeit durch seine bereitwillige Selbstaufopferung. Handelt es sich hier um zwei Mythen, die vielleicht letztlich miteinander verwandt sind? Oder ist ein Mythos in die Welt des anderen eingedrungen?

Ein drittes Beispiel entnehmen wir dem Lied *Lokasenna*, »Lokis Zankreden«. Hier lernen wir Loki als den Bösen, den Abgefeimten kennen. Er hatte bei einem von Ägir ausgerichteten Gastmahl einen der Diener des Gastgebers erschlagen, und die anderen Götter und Göttinnen hatten ihn daraufhin davongejagt. Loki kommt jedoch zurück, verschafft sich Einlaß in Ägirs Halle und beginnt mit jedem der Anwesenden ein unziemliches Geplänkel. Jede taktlose Anspielung – von seiten Lokis oder seines Gegenspielers – nimmt eine Strophe ein, so auch, wenn der Gott Tyr eingreift, um einen seiner Kollegen zu verteidigen:

LOKI
Schweig du, Tyr! du schlichtetest nie
Zwischen Zweien den Streit.
Deine rechte Hand ist dir geraubt,
Der Fenriswolf fraß sie. (38)

TYR
Der Hand muß ich darben, du aber des Wolfes;
Eins ist schlimm wie das andre;
Auch Fenrir ist freudenlos: gefesselt erwartet er
Der Asen Untergang. (39)

Damit habe ich praktisch alles zitiert, was *Lokasenna* von diesem Mythos preisgibt; die Zuhörer müssen jedoch mehr darüber gewußt haben, sonst hätten sie den Sinn der Verse nicht verstehen können. Wir sind in der glücklichen Lage, die ganze Geschichte zu kennen, denn Snorri Sturluson (1179–1241) hat uns in seiner *Prosa-Edda* eine detaillierte Zusammenfassung hinterlassen. In zwei separaten Abschnitten schildert Snorri Tyrs Begegnung mit dem wilden Fenriswolf. Tyr, so berichtet Snorri, war der Kühnste und Mutigste der Götter, der Schutzpatron tapferer Krieger. Der Fenriswolf war einer der unheilvollen Nachkommen Lokis, die dieser mit einer Riesin gezeugt hatte. Aus einer Weissagung erfuhren die Götter, daß der Wolf und seine Sippe eines Tages ihren Untergang herbeiführen würden. Deshalb sorgten sie dafür, daß Fenrir unter ihrer Kontrolle aufwuchs. Einzig und allein Tyr hatte indes den Mut, ihm sein Futter zu bringen. Solange der Wolf klein war, schien es keinen Anlaß zur Sorge zu geben, doch als die Götter sahen, zu welch einem Riesentier er heranwuchs, wurden sie unruhig und beschlossen, ihn zu fesseln. Wie aber war das zu bewerkstelligen? Sie versuchten es mit einer List (und es sei festgehalten, daß Verrat und List zum Moralkodex der Götter gehörten): Unter dem Vorwand, er solle zeigen, daß er stark genug sei, sich selbst

zu befreien, überredeten sie ihn, sich fesseln zu lassen, und behaupteten, je stärker die Bande seien, die sie ihm anlegten, um so größer werde auch sein Ansehen sein, wenn es ihm gelänge, sie zu zerreißen. Bestürzt mußten die Götter zusehen, wie der Wolf auch die stärksten Fesseln sprengte.
Da sahen sie nur noch einen Ausweg, nämlich die Zwerge, jene kunstfertigen Handwerker, zu beauftragen, gleichsam in Maßarbeit eine Fessel herzustellen, wobei sechs Bestandteile Verwendung finden sollten: der Schall des Katzentritts, der Bart der Frauen, die Wurzeln der Berge, die Sehnen der Bären, die Stimme der Fische und der Speichel der Vögel – alles Dinge, die es eigentlich nicht gibt. Die Zwerge nahmen den Auftrag an und schufen aus diesen Zutaten eine Fessel, die, wie nicht anders zu erwarten, sehr fein, aber nichtsdestoweniger ungeheuer fest war. Dann versuchten die Götter erneut, den Wolf dazu zu bewegen, sich fesseln zu lassen. Listig behaupteten sie, daß jemand, der Eisenketten zu sprengen vermochte, sich mit Leichtigkeit aus einer solch feinen Fessel befreien würde. Der Widerspruch zu ihrer früheren Argumentation weckte indes das Mißtrauen des Wolfes, der entgegnete, daß es ihm kein Ansehen einbringe, eine so schwache Fessel zu zerreißen, es sei denn, sie wäre mit List und Tücke gefertigt, und dann wolle er nichts damit zu tun haben. Schließlich willigte Fenrir aus Angst, sein Mut könnte in Zweifel gezogen werden, aber doch ein, allerdings nur unter der Bedingung, daß, gleichsam als Unterpfand für die ehrlichen Absichten der Götter, einer von ihnen die Hand in seinen Rachen lege, solange er gefesselt war. Die Asen sahen einander bestürzt an. Keiner wollte diese Aufgabe übernehmen. Schließlich erklärte sich der tapfere Tyr dazu bereit. Nun ließ sich der Wolf die trügerischen Bande anlegen und strengte dann all seine Kräfte an, um sich zu befreien – bis er einsehen mußte, daß ihm dies nicht gelingen würde. »Da lachten alle – außer Tyr.« Ihm biß der Wolf die Hand ab
Die Götter packten Fenrir und banden ihn an einen Felsen, ein Schwert in den weitgeöffneten Rachen geklemmt, um ihn am Zubeißen zu hindern. Dort ließen sie ihn zurück, und *þar liggr hann til ragnarøkrs*, »dort liegt er bis zum Weltenende«.

Die Prosa-Edda

Diese Geschichte führt uns in die zweite der großen Sammlungen mythologischer Stoffe ein, die *Prosa-Edda*. Snorri Sturluson war ein sehr reicher isländischer Bauer, in seiner Gegend der führende Kopf, eine einflußreiche Persönlichkeit, zeitweise so etwas wie ein Kollaborateur im Dienste des mächtigen norwegischen Königs Hakon Hakonsson, unter dessen Herrschaft Island und Grönland mit Norwegen vereinigt wurden. Zudem war er ein gebildeter Mann, der unvergleichliche Kenntnisse über Altertümer und Literatur seines Landes besaß. Selbst ein Dichter, verfaßte er seine *Prosa-Edda* in den zwanziger Jahren des 13. Jahrhunderts als Lehrbuch der Mythologie für angehende Dichter.

Das Werk ist in vier Abschnitte unterteilt: einen Prolog; *Gylfaginning*, »König Gylfis Blendung«; *Skáldskaparmál*, die »Sprache der Dichtkunst«; und *Háttatal*, eine Aufzählung von Versarten. Letztere ist für unser Thema am wenigsten wichtig: es handelt sich um eine Reihe von Definitionen mit technischen Erläuterungen und Beispielen der verschiedenen und komplizierten Vers- und Strophenformen, die von den frühen nordischen Hofdichtern, den Skalden, verwendet wurden. Die ersten drei Abschnitte weisen einen stärkeren inneren Zusammenhang auf. Ihr Zweck wird in einer Passage aus *Skáldskaparmál* erläutert, die sich an junge Dichter wendet, »welche die poetische Sprache lernen und sich einen umfassenden Wortschatz überlieferter Begriffe aneignen oder imstande sein wollen zu verstehen, was in Versen nur angedeutet ist«. Snorris Buch erklärt die in der traditionellen Dichtung häufig anzutreffenden mythologischen Anspielungen, um Anfängern zu helfen, sie zu verstehen und richtig zu gebrauchen. Diese Dichter des 13. Jahrhunderts waren zwar Christen, doch erwartete man von ihnen, daß sie in ihren Versen immer wieder Bezüge zu einer heidnischen Mythologie herstellten, die bereits seit mehr als zweihundert Jahren tot war. Ohne Unterweisung liefen sie Gefahr, dabei Fehler zu machen.

Ein Beispiel mag dies verdeutlichen. Sollte in einem Gedicht »Gold« vorkommen, konnte man den Begriff mit »Frodis Mehl«

umschreiben. In diesem Fall war es hilfreich, etwas von dem mythischen König Frodi von Dänemark gehört zu haben, der eine Wundermühle besaß, die alles hervorbrachte, was ihr Besitzer verlangte. Frodi wollte Gold, und Fenja und Menja, zwei Mägde mit übermenschlichen Kräften, die allein die schweren Mühlsteine zu bewegen vermochten, mußten ohne Unterlaß Tag und Nacht Reichtümer für ihn mahlen. Statt »Gold« konnte man aber auch »Krakis Saat« sagen, in Anspielung auf den legendären dänischen König Hrolf Kraki. Von Feinden verfolgt, streute er – wie ein Sämann Saatgut – erbeutetes Gold auf den Weg und hielt damit seine Verfolger auf, die von ihren Pferden sprangen, um sich der Schätze zu bemächtigen. Ohne diese Geschichten zu kennen, hätte vielleicht einer Gold fälschlich als »Frodis Saat« oder »Krakis Mahl« bezeichnet. Um eine moderne Parallele anzuführen, die ich kürzlich im Radio hörte: Ein Prominenter, der mitten in seinem Leben eine völlig neue Laufbahn eingeschlagen hatte, wurde von der Journalistin gefragt: »Haben Sie diese Entscheidung nach gründlicher Überlegung getroffen, oder haben Sie gleichsam ein blendendes Licht auf der Straße nach Emmaus gesehen?« Hätte sie ein modernes christliches Gegenstück zu Snorris *Edda* aufgeschlagen oder die Apostelgeschichte gelesen, hätte sie wohl nicht die Straße nach Emmaus mit der Straße nach Damaskus verwechselt.

Doch auch Snorri war Christ, und er konnte solche Geschichten kaum so erzählen, als hielte er sie für wahr. Dies galt insbesondere für die Abenteuer der heidnischen Götter. Deshalb distanzierte er sich auf vielfältige Art und Weise von seinem Thema. Er verfaßte ein Vorwort, in dem er auf frühe anthropologische Erkenntnisse einging: Die Menschen in primitiven Zeiten hätten eingesehen, daß im Universum Ordnung herrsche, und daraus abgeleitet, daß es einen Herrscher geben müsse; das hervorragendste der frühen Gemeinwesen sei Troja mit seinen zwölf Königreichen gewesen, jeweils geführt von einem Prinzen mit übernatürlichen Eigenschaften und einem einzigen, über allen stehenden König. Snorri verfolgte eine dieser Dynastien bis zu einem Sohn mit Namen Tror zurück: »Wir nennen ihn Thor.« Thor ging auf der Suche nach Abenteuern in die Welt hinaus, traf eine schöne Hexe namens

Sibil, »die wir Sif nennen«, und zeugte mit ihr ein Geschlecht, aus dem die meisten der großen Helden hervorgingen, allen voran Odin. Odin besaß (wie übrigens auch seine Gemahlin Frigg) übernatürliche Kräfte, aufgrund deren er wußte, daß sein Name »vor allen anderen Königen in Ehren gehalten werden würde«. Er verließ Asien und reiste nach Norden, übertrug seinen Söhnen die Herrschaft über die dortigen Königreiche und errichtete Gemeinwesen nach trojanischem Vorbild. Von diesen Ankömmlingen aus Asien (die von da an mit dem üblichen altnordischen Wort für ›Götter‹ *Asen* genannt wurden) stammen die großen Könige Skandinaviens ab. Hier bezog Snorri eine orthodoxe christliche Position, indem er die heidnischen Götter mit Heroen des Altertums gleichsetzte, die von ihren unwissenden Anhängern zu Göttern erhoben wurden.

Der erste eigentliche Teil von Snorris *Edda*, *Gylfaginning*, stellt seinen Stoff in eine Rahmenerzählung. Gylfi, ein schwedischer König und eine Art Philosoph, sann über die Asen nach. Es verwirrte ihn, daß alles nach ihrem Willen zu gehen schien. Waren sie selbst Götter, oder erhielten sie ihre Macht von Göttern, denen sie opferten? Als Wanderer verkleidet und unter dem falschen Namen Gangleri machte er sich auf den Weg, um dies herauszufinden. Doch die Asen sahen seine Ankunft voraus und trafen Vorbereitungen, seine Sinne zu täuschen – daher auch der Titel dieses Abschnitts, »Gylfis Blendung«. In Asgard angekommen, gelangte der Schwedenkönig zu einer Halle von gewaltigen Ausmaßen voller Menschen, die ausgelassen feierten. An einem Ende befanden sich drei Thronsitze, und auf jedem saß ein König: der erste wurde »der Hohe« genannt, der zweite »der Gleichhohe«, und der dritte einfach »der Dritte«. Diese erlauchten Herrscher waren bereit, Gylfis Fragen zu beantworten. Er erkundigte sich nach den Göttern, und die Könige gaben ihm Auskunft – mit einem wahren Schatz an Märchen, Sagen und Legenden. Mit diesem Kunstgriff konnte Snorri seine Mythen von anderen erzählen lassen, ohne selbst zu ihrem Wahrheitsgehalt Stellung nehmen zu müssen. Auch konnte er sie unvoreingenommen, witzig und mit trockener Ironie erzählen, so daß die Lektüre ein Vergnügen ist.

Gangleri befragt die drei Könige: den Hohen, den Gleichhohen und den Dritten

Eine Quelle waren für Snorri zweifellos Gedichte wie die der *Lieder-Edda*, auch wenn sie möglicherweise nicht mit denen übereinstimmen, die uns überliefert sind. Als Beleg für das, was er schreibt, zitiert er zuweilen Abschnitte aus den im *Codex Regius* gesammelten Versen, wie im folgenden in einer Passage über die Einherjer, die großen Krieger, die Odin auf dem Schlachtfeld auswählt und zu sich nach Walhall, in die riesige »Halle für die im Kampf Gefallenen«, holt, damit sie dort mit ihm leben und sich für die letzte Schlacht vorbereiten. Snorri läßt »den Hohen« sagen:

Silberner Toilettengegenstand aus Birka (Schweden). Die darauf abgebildete Figur, die ein Trinkhorn in den Händen hält, wird häufig als Walküre interpretiert, die Kriegern bei der Ankunft in Walhall den Willkommenstrunk reicht

Jeden Morgen, wenn sie angekleidet sind, wappnen sie sich und gehen in den Hof und kämpfen und fällen einander. Das ist ihr Zeitvertreib. Und wenn es Zeit ist zum Mittagsmahl, reiten sie heim gen Walhall und setzen sich an den Trinktisch, wie hier gesagt ist:

Die Einherjer alle in Odins Saal
Streiten Tag für Tag;
Sie kiesen den Wal und reiten vom Kampf heim
Mit Asen Ael [Bier] zu trinken;
Dann sitzen sie friedlich beisammen.

Diese Strophe finden wir auch in dem Frage-und-Antwort-Gedicht *Vafþrúðnismál* des *Codex Regius.*
Es ist aber auch unübersehbar, daß Snorri Gedichte kannte, die uns nicht überliefert sind – siehe seine Geschichte von Njörd, dem Gott der Seefahrt und der Handelsreisen, der mit der Riesin Skadi eine Mesalliance eingegangen war. Das Paar konnte sich über den gemeinsamen Wohnsitz nicht einigen, und Njörd sah sich zu einem Kompromiß gezwungen:

Skadi wollte wohnen, wo ihr Vater gewohnt hatte, nämlich auf den Felsen in Thrymheim: aber Njörd wollte sich an der See aufhalten. Da verglichen sie sich dahin, daß sie neun Nächte in Thrymheim und dann andere neun in Noatun sein wollten. Aber da Njörd von den Bergen nach Noatun zurück kam, sang er:

Leid sind mir die Berge; nicht lange war ich dort,
Nur neun Nächte.
Der Wölfe Heulen deuchte mich widrig
Gegen der Schwäne Singen.

Aber Skadi sang:

Nicht schlafen konnt ich am Ufer der See
Vor der Vögel Lärm;
Da weckte mich vom Wasser kommend
Jeden Morgen die Möwe.

Da zog Skadi nach den Bergen und wohnte in Thrymheim. Da jagt sie oft auf Schneeschuhen mit ihrem Bogen nach Tieren. Sie heißt Schneeschuhgöttin oder Önduris.

Die Verse sind nur aus der *Snorra-Edda* bekannt, müssen aber aus einer eigenständigen Dichtung stammen, die uns verloren ist.
In anderen Fällen wiederum wissen wir gar nicht, woher Snorri den Stoff für seine Geschichte nahm, obgleich die Fülle der aufgeführten Einzelheiten zeigt, daß er offenbar aus ausführlichen Quellen, die aus Volkserzählungen oder alten Sagen bestanden haben mögen, schöpfen konnte. Zu dieser Gruppe dürfte die Geschichte zählen, worin das Vorhaben der Götter geschildert wird, einen Schutzwall um ihr Reich zu errichten, um es gegen Angriffe der Riesen zu sichern. Sie fanden einen Baumeister, der zum Geschlecht der Riesen gehörte – was die Asen zunächst jedoch nicht bemerkten. Er erklärte sich bereit, den Wall zu bauen. Als Lohn für seine Arbeit verlangte er die Sonne, den Mond und die Göttin Freyja. Von dieser Forderung in Verlegenheit gebracht, verkürzten die Götter den Zeitraum, in dem das Bauwerk erstellt werden sollte, von drei Halbjahren auf einen einzigen Winter und verlangten, daß er ohne jegliche Hilfe arbeite. Sollte er es nicht schaffen, würde er gar nichts bekommen. In Abwesenheit Thors gestanden die Götter auf Anraten Lokis dem Baumeister dann doch zu, daß ihm sein Pferd Swadilfari bei der Arbeit helfen durfte, überzeugt, daß die Erfüllung der Aufgabe dennoch unmöglich war. Mit einem Eid verpflichteten sie sich, die Vereinbarung einzuhalten.
Der Baumeister arbeitete den ganzen Tag hindurch, während der Nacht aber schleppte er mit seinem Pferd Steine herbei. Als die Götter das Pferd bei der Arbeit sahen, stellten sie entsetzt fest, welche Lasten es herbeischaffen konnte – es arbeitete noch zweimal schwerer als sein Besitzer! Die Zeit war fast abgelaufen, der

Wall so gut wie fertiggestellt. Die Vorstellung, sie könnten verlieren, versetzte die Götter in Furcht und Schrecken, und sie fielen über Loki her, dem sie vorwarfen, sie schlecht beraten zu haben. Nun bekam es Loki mit der Angst zu tun; rasch entwarf er einen Plan, um zu verhindern, daß der Baumeister die Oberhand behielt. Der Gott, der seine Gestalt nach Belieben verändern konnte, verwandelte sich in eine Stute. Als der Baumeister in der letzten Nacht mit seinem Hengst unterwegs war, um die letzten Steine für das Bauwerk herbeizuschaffen, tauchte plötzlich die Stute auf. Wiehernd machte sie Swadilfari auf sich aufmerksam: Der war nicht mehr zu halten, zerriß die Zugriemen und jagte der Stute hinterher. Gemeinsam verschwanden sie im Wald und blieben die ganze Nacht aus, so daß der Baumeister seine Arbeit nicht vollenden konnte. Er bekam eine »Riesen-Wut«, und nun erst erkannten die Götter, daß er einer ihrer Feinde war. Im entscheidenden Augenblick kam Thor von seiner Fahrt nach Osten zurück und erkannte die Gefahr. Er schwang seinen mächtigen Hammer und zerschmetterte dem Riesen den Schädel. Am Ende ging die Geschichte doch noch gut aus für Loki. Er gebar ein riesiges Füllen mit acht Beinen. Es wuchs zu dem berühmten Pferd Sleipnir heran, das Odins Lieblingsroß wurde.

Als Beleg für diese Geschichte zitiert Snorri zwei Strophen aus dem großartigen Eddalied *Vǫluspá*, »Der Seherin Weissagung«. Sie sind jedoch völlig unzureichend, um all die Einzelheiten zu erklären, die Snorris Version enthält. Also muß er die ganze Geschichte selbst erfunden haben – was unwahrscheinlich ist –, oder er verfügte über eine Quelle, die wir nicht mehr aufspüren können.

Der eigentliche zweite Teil der *Snorra-Edda*, *Skáldskaparmál*, weist ebenfalls eine Rahmenerzählung auf. Auch hier begegnen wir einem Besucher der Asen, die wiederum nicht mit den Göttern gleichgesetzt werden, obwohl sie die gleichen Namen tragen wie diese. Bei dem Besucher handelt es sich um Ägir, einen zauberkundigen König. Wieder wissen die Asen im voraus von seinem Kommen und treffen Vorkehrungen für eine Täuschung ihres Gastes. Sie bereiten ihm einen großartigen Empfang, geben ihm zu Ehren ein Festmahl und weisen ihm dabei den Platz neben Bragi zu, der den Namen des Gottes der Dichtkunst trägt. Bragi erzählt von den Heldentaten der Asen. Auf diese Art werden die überlieferten Mythen dargelegt. Am Ende steht ein für Snorris Absichten sehr wichtiger Mythos. Er berichtet von den beiden Zwergen Fjalar und Galar, die ein Wesen namens Kwasir erschlugen, sein Blut mit Honig mischten und so den Met herstellten, der jeden, der davon trank, zum Dichter werden ließ. Die Zwerge bewahrten ihren Met in drei Gefäßen auf. Diese brachte der Riese Suttung in seinen Besitz, doch auch Odin wollte den Dichtermet, den der Riese im Innern eines Felsen von seiner Tochter Gunnlöd bewachen ließ. Odin verführte Gunnlöd, die sich so in ihn verliebte, daß sie ihm gestattete, drei Schluck von dem Met zu nehmen, mit denen der Ase indessen die Gefäße bis zum letzten Tropfen

Diese auf einem Stein in Gotland (Schweden) eingeritzte Abbildung zeigt ein achtbeiniges Pferd; sie wird im allgemeinen als Darstellung von Odins Lieblingspferd Sleipnir gewertet

leerte. Dann verwandelte er sich in einen Adler und flog über die Berge davon. Als Suttung den Diebstahl bemerkte, zog er sein eigenes Adlerhemd an, nahm die Verfolgung des Diebes auf und holte ihn kurz vor Asgard auch beinahe ein. Die anderen Asen erkannten jedoch sogleich die Gefahr, in der Odin sich befand. Schnell stellten sie alle ihre Eimer und Krüge im Hof auf, und Odin spie den Met in die Gefäße. In ihnen wird der Trank aufbewahrt, von dem jedem gegeben wird, der danach strebt, ein Dichter zu werden. Deshalb, so sagt Snorri (oder vielleicht Bragi) kann Dichtung auch als »Odins Fang«, »Odins Fund« oder »Odins Trank« bezeichnet werden.

Hier ist Snorri zum eigentlichen Zweck vorgedrungen, weshalb er seine *Edda* geschrieben hat: er gibt eine Erörterung der Sprache und Metaphorik von Dichtung, eine Erläuterung, wie ihre Bilder von der nordischen Mythologie her zu verstehen sind. Nun tritt die Rahmenerzählung von *Skáldskaparmál* in den Hintergrund, und Snorri begnügt sich damit, Fragen zu stellen. Warum wird Gold als »Sifs Haar« bezeichnet oder als »Otterbuße« oder als »Ägirs Feuer«? Und er erzählt die Geschichten, die die Bilder erklären. Oder er führt die entsprechenden Metaphern für die verschiedenen Götter an. »Wie ist Tyr zu bezeichnen? Als der einhändige Ase, des Wolfs Fütterer«. Wir wissen, warum: Snorri hat uns in *Gylfaginning* mit der Geschichte vertraut gemacht. »Wie ist Höd zu bezeichnen? Als der blinde Ase, Balders Töter, Mistilteins Schießer«, in Anspielung auf Balders Tod – ein äußerst wichtiger Mythos, auf den ich später zu sprechen kommen werde. Diese Art bildhafter Umschreibung, im Altnordischen *kenning* genannt, kann selbst ein Mythos in Kurzform sein und stellt ein wesentliches Merkmal der nordischen höfischen Dichtung dar.

Skaldendichtung

Damit sind wir bei unserer dritten Hauptquelle für nordische Mythen angelangt, den Schöpfungen der Dichter an den Fürstenhöfen, der Skalden, wie sie meist genannt werden. Die *Lieder-Edda*

ist anonym; im Unterschied dazu werden viele Skaldendichtungen namentlich bekannten Verfassern zugeschrieben. Von einigen sind Biographien überliefert, oder man weiß, in wessen Diensten sie standen. Zudem nehmen ihre Verse häufig auf zeitgenössische Ereignisse Bezug, die auf der Basis anderer Quellen datiert werden können. Bei Skaldendichtungen ist es uns somit möglich, eine Chronologie von Texten zu erstellen, viele der Gedichte zumindest auf etwa ein Jahrzehnt genau zu datieren. Die Skaldendichtung hat ihre Anfänge vermutlich im 9. Jahrhundert und setzte sich durch die Wikingerzeit hindurch bis ins Mittelalter fort; doch ist natürlich vor der Ausbreitung des Christentums und der lateinischen Bildung außer vereinzelten, in Runen geritzten Strophen weniges schriftlich festgehalten worden. Wir stoßen also auf ein schon vertrautes Problem: wir müssen uns auf christliche Zeugnisse über eine vor- oder protochristliche Epoche verlassen, müssen eine genaue mündliche Überlieferung von Dichtungen bis zur Zeit ihrer Niederschrift unterstellen und müssen darauf vertrauen, daß die spätere namentliche Zuschreibung von Gedichten zuverlässig ist. Skaldenlieder als Belege heranzuziehen ist fraglos ein risikoreiches Unterfangen.
Skaldenpoesie war in der Regel höchst manieriert und technisch anspruchsvoll, wie es einer Versform ansteht, die skandinavischen Königen und Adligen huldigen soll. Sie konnte auch Träger für Gelegenheitsdichtung sein, mit der bedeutende Ereignisse gefeiert wurden, oder einfach eine spontane Äußerung über Ereignisse, die der Dichter beobachtete oder an denen er teilhatte. Die Skaldenlieder wiesen nicht nur eine komplizierte Versform auf, sondern auch eine komplexe Sprachstruktur mit verschachtelten Sätzen; an Stelle geläufiger Wörter wurden ungewöhnliche Begriffe verwendet und häufig Kenningar eingesetzt. In ebendiesen Kenningar können sich auch Mythen verbergen.
So verfaßte z. B. der Dichter Einar Skalaglamm gegen Ende des 10. Jahrhunderts ein Gedicht mit dem Titel *Vellekla* zu Ehren eines bedeutenden skandinavischen Adligen, des Jarls Hakon von Lade in der Gegend des norwegischen Trondheim. Er eröffnete es mit einer höflichen Bitte um Gehör an seinen Gönner:

Großherziger Beschützer des Landes
Lauscht, ich bitt Euch, der schäumenden Gischt
Von Fjordbeins Bewohnern.
Hört, Jarl, des Kwasir Blut.

Als die Strophe zum erstenmal vorgetragen wurde, müssen sich die Zuhörer einige Gedanken gemacht haben, ehe es ihnen gelang, die verschiedenen Umschreibungen zu enträtseln. »Kwasirs Blut« bereitet kein Problem, wenn man weiß, daß daraus Met gemacht wurde, und zwar jene besondere Art von Met, die poetische Inspiration schenkt; von daher kann die Kenning auch für ein ganz bestimmtes Beispiel poetischer Inspiration, ein einzelnes Gedicht verwendet werden. Die »schäumende Gischt von Fjordbeins Bewohnern« ist schon komplizierter, verworrener. »Das Fjordbein« ist das felsige Ufer oder die steile Felsküste eines Fjords. Mit den »Bewohnern des Fjordbeins« sind vermutlich Zwerge gemeint, denn jeder weiß, daß Zwerge in Felswänden oder zwischen Felsblöcken leben. Hier wird offenbar an die Zwerge Fjalar und Galar gedacht. Ihre »schäumende Gischt« ist ihr Met; also haben wir hier erneut eine bildliche Umschreibung für Dichtung, für ein Gedicht. Alles, was der Dichter in diesen Zeilen sagen wollte, ist: »Seid bitte still und hört mir zu, während ich mein Gedicht vortrage«, doch klingt es in seiner poetischen Formulierung natürlich viel eindrucksvoller. Allerdings hängt dies in hohem Maße von der Mitwirkung der Zuhörer ab: Kennen sie nämlich den Mythos nicht mehr und sind deshalb auch nicht imstande, den eigentlichen Sinn zu erfassen, wird ihnen der Vers nur Rätsel aufgeben.
Zum Glück bereiten nicht alle Skaldenlieder so große Verständnisschwierigkeiten. Einige Skalden verfaßten verhältnismäßig leicht zugängliche Verse, ohne dabei auf mythologische Denkstrukturen zu verzichten. Als der im 10. Jahrhundert lebende bedeutende isländische Dichter Egil Skallagrimsson zwei seiner Söhne verlor, verfaßte er ein bitteres Klagelied, in dem er seinem Schutzpatron, dem Dichtergott Odin, Vorwürfe macht, daß er ihn verraten habe. Unter solchen Umständen sei es schwer zu dichten: »Es ist kein günstiger Augenblick für Widrirs Diebesbeute.« Widrir ist

ein anderer Name für Odin; seine Diebesbeute war der Dichtermet. Zwar hatte Odin Egil verletzt, doch hatte er ihn, durch die Gabe der Dichtkunst, auch gestärkt. »Wenn ich mir die Dinge richtig betrachte, hat Mimirs Freund mich für meinen Kummer entschädigt.« Mimir war Odins Freund. Der Gott hatte das abgeschlagene Haupt des Weisen vor Verwesung geschützt und erhielt von ihm in der Folge häufig wertvolle Ratschläge in schwierigen Situationen.

Dann wiederum konnte ein Skalde seinen Herrn in beinahe eddischer Form preisen, in einer schlichten erzählenden Dichtung etwa, die bei den Göttern spielte. Als Erik Blutaxt, verbannter König von Norwegen und York, um die Mitte des 10. Jahrhunderts in einer Schlacht fiel, gab seine zutiefst heidnische Gattin einen angemessenen Totengesang in Auftrag. Nur wenige Zeilen sind erhalten geblieben. Sie beginnen in Odins Halle:

> Odin sprach:
> Welch Traum war das? Ich erhob mich, bei Tagesanbruch
> Platz zu machen in Walhall für ein gemetzeltes Heer.
> Ich weckte meine großen Krieger, hieß die Walküren erwachen,
> Die Bänke bestreuen, die Bierkrüge spülen,
> Den Wein bringen zur Ankunft des Prinzen.
> Von der Erde erwart' ich
> Edle Kämpfer
> Die frohlocken lassen mein Herz.

Odin fragt seinen Gefährten Bragi, was der donnernde Lärm draußen zu bedeuten habe. Bragi antwortet, es müsse wohl der Gott Balder sein, der nach Hause zurückkehre. Odin schimpft ihn einen Dummkopf; zweifellos handele es sich um Erik und das Heer der Toten, die mit ihm gefallen waren. Er schickt zwei seiner größten Helden aus, um den König zu empfangen. Einer von ihnen, der heldenhafte, aber nicht allzu intelligente Sigmund, fragt, warum Odin gerade Erik erwarte und keinen anderen. Geduldig erklärt Odin, Erik sei ein großer Krieger, »der sein Schwert in vielen Ländern gerötet, eine blutige Klinge geführt hat«. Daraufhin stellt Sigmund die nicht unvernünftige Frage: »Wenn er doch so tapfer schien, warum ihn dann des Siegs berauben?« Odin antwortet geheimnisvoll:

Was kommen wird, kann man nicht wissen.
Der graue Wolf starrt auf die Wohnstätten der Götter.

Erik war ein recht mittelmäßiger König, dessen Unternehmungen selten von Erfolg gekrönt waren. Durch diese Behandlung stellte der Dichter ihn auf eine Stufe mit den größten Kämpfern, würdig, mit den Helden des Altertums zu verkehren, würdig, Odins Verteidigungsstreitmacht anzugehören, wenn der graue Fenriswolf, seiner Fesseln entledigt, einst grausame Rache an den Göttern nehmen wird.

Zuweilen können mythologische Erzählungen auch unmittelbarer Gegenstand einer Skaldendichtung sein. Ein Beispiel dafür ist das Gedicht *Haustlǫng*, »Herbstlang«, so betitelt, weil sein Verfasser Thjodolf einen ganzen Herbst benötigte, um es zu vollenden. Das Gedicht beschreibt einen Schild, den der Skalde geschenkt bekommen hatte. Auf diesem Schild waren Episoden aus dem Leben der Götter dargestellt. Eine Szene schildert ein Abenteuer Iduns, einer sehr nützlichen Göttin, verwahrte sie doch in einer Truhe die Äpfel, die den Göttern ewige Jugend schenkten. Snorri, der *Haustlǫng* kannte, erzählt ihre Geschichte schlicht und unverblümt.

Drei der Asen, Odin, Loki und Hönir, befanden sich auf einem Streifzug. Von Hunger geplagt, fingen sie eines Tages einen Ochsen, schlachteten ihn und entzündeten ein Feuer, um sich eine Mahlzeit zuzubereiten. Immer wieder kosteten sie das Fleisch, aber es wollte und wollte nicht weich werden. Über ihnen saß in einer Eiche ein Adler, der schließlich erklärte, er sorge dafür, daß das Fleisch nicht gar werde; und, so fügte er hinzu, es werde auch nicht genießbar werden, wenn sie ihm nicht einen Teil davon überließen. Die Götter luden den Vogel ein, sich zu bedienen. Das tat er dann auch, für Lokis Geschmack allerdings gar zu reichlich. Wütend ergriff Loki einen Stock und stieß damit nach dem Adler. Der Stock blieb in dem Vogel stecken, der daraufhin davonflog –

mit Loki, dessen Hände an dem Stock festklebten. Der Adler flog so niedrig, daß Loki über Stock und Stein geschleift wurde. Arg mitgenommen und übel zugerichtet, flehte er den Vogel an, er möge ihn loslassen. Dazu war der Adler indes nur bereit, wenn Loki versprach, Idun samt ihren Äpfeln aus ihrer Burg in Asgard herauszulocken. In seiner Not erklärte sich Loki dazu bereit, und so konnten er und die beiden anderen sicher nach Hause zurückkehren.

Loki hielt sein Versprechen gewissenhaft. Er brachte Idun dazu, sich mit ihren Äpfeln in den Wald zu begeben. Dort stürzte sich der Adler, der sich nun als der Riese Thjazi entpuppte, auf sie und entführte sie nach Thrymheim, wo er wohnte. Ohne die Äpfel wurden die Götter bald alt und schwach. Sie fragten sich, was mit Idun geschehen sein mochte, bis einer sich erinnerte, daß die Göttin zuletzt in Lokis Gesellschaft gesehen worden war. Sogleich ließen sie Loki festsetzen und drohten ihm mit dem Tod, sollte er Idun nicht finden und zurückbringen. Loki lieh sich Freyjas Falkengewand und flog nach Thrymheim. Zum Glück war der Riese gerade zum Fischen draußen auf dem Meer und Idun allein zu Hause. Loki verwandelte die Göttin in eine Nuß, nahm sie zwischen die Klauen und flog davon. Als Thjazi Iduns Verschwinden bemerkte, nahm er seine Adlergestalt an und verfolgte Loki. Dabei schlug er so heftig mit den Schwingen, daß sein Flügelschlag Stürme entfachte. Die Asen sahen den von einem Adler gejagten Falken und erfaßten die Situation sofort. Rasch häuften sie an Asgards Schutzwall Hobelspäne auf, und sowie der Falke sicher darüber hinweggeflogen war, steckten sie die Späne in Brand. Der Adler flog so schnell, daß er nicht rechtzeitig bremsen konnte. Er wurde von den Flammen erfaßt, seine Schwingen wurden versengt: Thjazi mußte landen. Sogleich ergriffen die Asen den Riesen und töteten ihn.

Bei Snorri ist die Geschichte damit noch nicht zu Ende. Thjazi hatte eine Tochter, ein Mannweib namens Skadi. Als sie von der Ermordung ihres Vaters durch die Asen erfuhr, eilte sie bewaffnet und gewappnet nach Asgard, um Rache zu nehmen. Den Asen schien es das beste, die Riesin versöhnlich zu stimmen. Deshalb schlugen sie vor, sie solle einen von ihnen zum Gatten wählen. Allerdings müsse sie ihre Wahl ausschließlich nach den Füßen treffen, denn mehr solle sie von den Männern nicht zu sehen bekommen. Also wurde ein »Knöchel-Schönheitswettbewerb« veranstaltet. Skadi entschied sich für ein paar ausgesprochen schöne Füße, in der Annahme, sie gehörten dem gutaussehenden Gott Balder, an dem sie vorher schon Gefallen gefunden hatte. Doch Skadi hatte sich geirrt: Sie hatte den schon älteren Njörd gewählt. Wie wir bereits gesehen haben, hielt ihre Ehe nicht lange.

Haustlǫng berichtet in zwölf Strophen über die Thjazi-Geschichte. Jede beschreibt eine Episode oder eine Situation: die erste schildert, wie Thjazi in Vogelgestalt den Asen bei ihren Bemühungen, den Ochsen zu sieden, zusieht; die zweite enthält Thjazis Behauptung, er verhindere, daß das Fleisch gar werde, die dritte das Angebot der Götter, dem Adler etwas von dem Fleisch zu überlassen, während Loki dafür sorgt, daß das Feuer nicht erlischt; in der vierten erfahren wir, daß Thjazi in seiner Gier eine riesige Portion des Fleisches für sich beansprucht, in der fünften stößt Loki mit dem Stock nach dem Adler usw. Kennt man die Geschichte, so ist es recht einfach, die Verse zu verstehen; kennt man sie nicht, wäre es – insbesondere in Anbetracht der sehr dichten Sprache der Verse – schwierig, herauszufinden, worum es geht. Wiederum verlangt das Gedicht die Mitwirkung des Zuhörers.

Dies sind also die Hauptquellen nordischer Mythologie. Es gibt noch viele andere, von denen einige zwar nur wenig Material überliefern, aber dennoch von großer Bedeutung sein können. Zwei Beispiele mögen dies unterstreichen: Neben der *Prosa-Edda* stellte Snorri auch eine norwegische Geschichte mit dem Titel *Heimskringla*, »Der Weltenkreis«, zusammen. Sie enthält Biographien norwegischer Könige, beginnend mit dem ersten »historischen« Monarchen Harald, mit dem Beinamen Schönhaar, am Ende des 9. Jahrhunderts. Vor Haralds Geschichte steht ein Buch mit dem Titel *Ynglingasaga*, die »Geschichte der Könige der Yngling-Dynastie«, und hier finden wir Geschichten über sagenhafte Könige und einige der Götter. Als Saxo Grammaticus im frühen 13. Jahrhundert in lateinischer Sprache seine Geschichte Dänemarks *Gesta Danorum* verfaßte, stützte er sich in großem Umfang auf überliefertes Mythen- und Sagengut, wobei manches, was er berichtet, zu dem etwa bei Snorri zu findenden Material in Widerspruch steht.

Aus dieser Mischung von geographisch und zeitlich unterschiedlichen Quellen, die zudem auf unterschiedliche literarische Forderungen reagieren, werden wir kaum eine zusammenhängende Darstellung der nordischen Mythologie mit einem einheitlichen Gedankengebäude gewinnen. Wir stoßen auf ein Durcheinander von Geschichten: einige stehen in einer klar erkennbaren Reihenfolge, andere sind anscheinend ziellos verstreut. Wieviel tatsächlich authentische nordische Mythologie ist und wieviel literarische Erfindung, ist schwer zu sagen. Auch was die Mythen mit nordischem Glauben zu tun haben, ist umstritten. Ein Mythos, so heißt es, solle »volkstümliche Vorstellungen von natürlichen oder geschichtlichen Phänomenen« gestalten. Es bleibt dem Leser überlassen, zu beurteilen, inwiefern die hier nacherzählten Mythen dies tun.

Asen, Wanen und einige Könige

In der nordischen Mythologie gibt es zwei Göttergeschlechter, die Asen (anord. *aesir*, Sg. *áss*) und die Wanen (anord. *vanir*, Sg. *vanr*). Entgegen Snorris Vermutung leitet sich *áss* nicht von *Asien* ab: dies ist ein typisches Beispiel »gelehrter« mittelalterlicher Etymologie. Ase leitet sich her von einer gebräuchlichen germanischen Bezeichnung für »Gott«. Eine Parallele dazu bildet das altenglische *ōs* (ein Wort, das heute nur noch als erste Silbe in männlichen Vornamen wie *Oswald*, *Osbert* existiert), und in einem lateinischen Text findet sich eine gotische Pluralform, nämlich *ansis*, was als »semideos«, ›Halbgötter‹, übersetzt wird. *Wane* ist ein problematischerer Begriff. Wörterbücher machen deutlich, »daß es nicht an etymologischen Erklärungen fehlt«; besonders verlockend erscheint indes die Verbindung mit dem altnordischen *vinr* ›Freund‹, und mit *Venus*, dem lateinischen Namen der »Göttin der körperlichen Liebe«.

Nach den Erkenntnissen von Georges Dumézil, einem namhaften französischen Forscher auf dem Gebiet der vergleichenden Religionswissenschaft, ist die Einteilung in Asen und Wanen alt und auch in den Religionen anderer indogermanischer Völker zu finden. Die Wanen waren seiner Meinung nach ursprünglich Götter mit niedrigerem Status, die erst nach einigen Konflikten in die höhere Gruppe aufgenommen wurden. Dies spiegelt sich zweifellos in der Beziehung zwischen den beiden Göttertypen wider, wie sie in *Heimskringla* geschildert wird, auch wenn sie sich hier als Krieg zwischen Nachbarvölkern darstellt:

Odin sammelte ein Heer um sich, um die Wanen anzugreifen. Diese verteidigten ihr Land heldenhaft, und jede Seite errang Siege. Jeder verwüstete das Land des anderen und richtete dabei großen Schaden an. Und als die beiden Völker des Kriegs überdrüssig waren, beriefen sie eine Friedenskonferenz ein, schlossen einen Waffenstillstand und tauschten Geiseln aus. Die Wanen übergaben den Asen ihre hervorragendsten Männer, den reichen Njörd und seinen Sohn Frey. Im Gegenzug schickten die Asen einen Mann namens Hönir und erklärten, er tauge zum Anführer. Er war ein großer, sehr schöner Mann. Ihm zur Seite stellten die Asen einen gewissen Mimir, einen äußerst weisen Mann; daraufhin übergaben die Wanen den Asen den klügsten ihres Geschlechts. Sein Name war Kwasir.
Nach Hönirs Ankunft im Land der Wanen machten diese ihn sofort zu ihrem Anführer. Mimir riet ihm stets, was er sagen sollte. Nahm Hönir ohne Mimir an Gesetzesberatungen und Versammlungen teil und hatte einen schwierigen Fall zu entscheiden, gab er stets die gleiche Antwort: »Laßt jemand anderen entscheiden«, pflegte er zu sagen. Da begannen die Wanen zu argwöhnen, daß die Asen sie beim Geiseltausch überlistet hatten. Sie ergriffen Mimir, enthaupteten ihn und sandten den Asen seinen Kopf. Odin bewahrte ihn auf, bestrich ihn mit Kräutern, so daß er nicht verweste, und besprach ihn mit Zauberformeln. Dies verlieh dem Haupt solche Macht, daß es mit Odin sprach und ihm Verborgenes enthüllte.
Odin bestellte Njörd und Frey zu Opferpriestern, und sie leiteten die Kulthandlungen bei den Asen. Njörds Tochter war Freyja, eine Opferpriesterin. Sie war die erste, die die Asen den Zauber (*seiðr*) lehrte, den die Wanen praktizierten. Bei den Wanen war Njörd mit seiner eigenen Schwester vermählt gewesen – was bei diesen völlig rechtens war –, und aus dieser Verbindung waren Frey und Freyja hervorgegangen. Bei den Asen war es jedoch verboten, sich mit so nahen Verwandten zu vermählen.

Vieles von dieser Sage wird durch Anspielungen in Eddaliedern bestätigt. In *Vafþrúðnismál*, dem »Lied von Wafthrudnir«, wird die Frage gestellt:

Wie kam Njörd aus Noatun
Unter die Asensöhne? (38)

Die Antwort lautet:

In Wanaheim schufen ihn weise Mächte
Und gaben ihn Göttern zur Geisel.
Am Ende der Zeiten soll er aber zurückkehren
Zu den weisen Wanen. (39)

Skandalgeschichten über die Götter und Göttinnen erfahren wir aus »Lokis Zankreden« (*Lokasenna*), in denen die Beleidigungen, die sich Loki und seine Gegenspieler an den Kopf werfen, in der Regel irgendeine Schandtat oder ein verwerfliches Treiben des einen oder der andern offenbaren. Njörd brüstet sich mit seinem Sohn Frey, der bei allen beliebt und der trefflichste unter den Göttern sei. Loki erwidert:

Laß endlich, Njörd, den Übermut,
Ich hab es länger nicht Hehl:
Mit der eignen Schwester den Sohn erzeugtest du,
Der eben so arg ist wie du. (36)

Als Freyja sich in das Gespräch einmischt, beschimpft Loki auch sie:

Schweig du, Freyja, dich vollends kenn ich:
Keines Makels ermangelst du;
Der Asen und Alfen, die hier inne sind,
Bist du jedes Buhlerin. (30)

Und in seiner nächsten Riposte beschuldigt er sie der Unzucht mit ihrem eigenen Bruder.

In diesen Versen wird der unverwechselbare Charakter der Wanen bekräftigt – unverwechselbar, aber recht finster oder zumindest unorthodox. So war die Ausübung von *seiðr* zwar nützlich, konnte aber auch gefährlich sein. Es war eine Form des Zaubers, der denjenigen, die ihn ausübten, die Macht verlieh, anderen Schaden zuzufügen oder esoterisches Wissen zu erwerben. Snorri berichtet, daß Odin des Zaubers kundig war. Vermutlich war er von Freyja in seine Geheimnisse eingeweiht worden.

> Odin besaß diese Fähigkeit – ja übte sie selbst aus –, die große Macht mit sich brachte. Sie wurde *seiðr* genannt. Durch sie konnte er das Schicksal von Menschen und künftige Ereignisse voraussehen. Er konnte Menschen Tod, Unglück oder Krankheit bringen, dem einen Verstand und Stärke nehmen und sie auf einen anderen übertragen. Doch die Ausübung dieser Hexerei galt als unmännlich, ja es war schmachvoll, als Mann etwas damit zu tun zu haben. Deshalb wurde *seiðr* den Priesterinnen gelehrt.

Im wesentlichen segneten die Wanen die Menschheit jedoch mit Wohltaten. Dumézil sieht in ihnen »Spender von Gesundheit, Jugend, Fruchtbarkeit und Glück«. Er spricht von Zwillingsgottheiten, und wir können Frey und Freyja als Zwillinge betrachten (aber auch als Gatten). Njörd müßte ebenfalls eine Zwillingsschwester (und Gattin) haben, die sich möglicherweise ausfindig machen läßt, wenn auch nicht unbedingt in nordischen Mythen. Tacitus, der römische Geschichtsschreiber des 1. Jahrhunderts, berichtet von einer Göttin, die von germanischen Stämmen der Nordseeregion verehrt wurde. Der Name dieser Göttin, Nerthus, von Tacitus als »Mutter Erde« gedeutet, ist gleichen Ursprungs wie der Name Njörd. Sie brachte ihren Anhängern Frieden und Fruchtbarkeit. In den nordischen Quellen gilt Njörd als Gott des Wohlstands, fruchtbarer Ländereien, der Seefahrt und der Fischerei. Frey ist der Gott der günstigen Witterung und damit der guten Ernten, des Friedens und des Wohlstands, und vor seinem entsprechend männlich gestalteten Bildnis im großen Tempel von Upp-

Kleine phallische Figur von Rällinge (Schweden), die möglicherweise den Fruchtbarkeitsgott Frey darstellt

sala erflehten Brautleute kinderreiche Ehen. Freyja »liebt den Minnesang, und es ist gut, sie in Liebesdingen anzurufen.«
Aufgrund der zentralen Bedeutung solcher Themen für das mittelalterliche Alltagsleben muß es zahlreiche Mythen über diese Wanengötter gegeben haben, doch sind überraschenderweise nur wenige davon erhalten geblieben. Auf einige haben wir Hinweise. Zum Beispiel war Freyja mit einem wenig bekannten Gott namens Od verheiratet, der auf Reisen ging und Freyja weinend zurückließ. Irgendwann begab sie sich auf die Suche nach ihrem Gatten, wobei sie eine ganze Reihe seltsamer Namen annahm. Vermutlich gab es Geschichten über ihre Abenteuer, doch sind nur ein paar Andeutungen bei Snorri und den Dichtern überliefert. Wenn Freyja um Od weinte, verwandelten sich ihre Tränen in Gold, so daß unter den Kenningar für Gold auch »Freyjas Tränen«, »der Regen aus Freyjas Augen« u. ä. zu finden sind.
In der ausführlichsten Überlieferung eines Wanen-Mythos wird Freys Leidenschaft für das Riesen-Mädchen Gerd geschildert – eine Liebesgeschichte, die einem Gott der Fruchtbarkeit und der Lust durchaus angemessen ist. Sie wird in dem Eddalied *Fǫr Skírnis*, »Skirnis Fahrt«, erzählt und in der *Snorra-Edda* paraphrasiert. Odin hat in seiner Wohnstätte einen Hochsitz, Hlidskjalf, von dem aus er alle Welten – die der Götter (Asgard), die der Menschen (Midgard) und die der Riesen (Utgard) – überblicken kann. Außer ihm ist es nur Frigg, seiner Gemahlin, erlaubt, diesen Hochsitz zu besteigen. Eines Tages kletterte indes Frey hinauf und wurde für seine Vermessenheit umgehend bestraft. Er schaute nach Norden (wo, wie jeder weiß, die Riesen wohnen). Dort erblickte er Gerd, die Tochter des Bergriesen Gymir, und verliebte sich auf der Stelle in das schöne Mädchen mit den leuchtenden Armen. Krank vor Sehnsucht schmachtete er dahin. Besorgt über den Zustand seines Sohnes, rief Njörd dessen langjährigen Diener und Gefährten Skirnir zu sich und trug ihm auf, den Grund für Freys Schwermut zu erkunden. Skirnir fragte Frey, was ihn derart bedrücke, und forderte ihn auf, ihm eingedenk ihrer Freundschaft seit Kindertagen sein Geheimnis zu verraten. Frey gestand seine Liebe zu Gerd und bat Skirnir, für ihn um sie zu werben. Das Un-

terfangen konnte gefährlich werden, und deshalb überließ Frey Skirnir sein prachtvolles Pferd und einen seiner kostbarsten Schätze – ein Schwert, das von selbst kämpfte – für die Reise. Skirnir ritt zur Wohnstätte des Riesen, die von kläffenden Wachhunden umgeben war. Der Hirte, der auf einem Hügel vor dem Gehöft wachte, riet ihm von seinem Vorhaben ab, da es zum Scheitern verurteilt sei. Doch Skirnir ließ sich nicht einschüchtern und sprengte mit Freys wunderbarem Pferd in den Hof. Den Pflichten der nordischen Gastfreundschaft Rechnung tragend, ließ Gerd ihn zu sich bitten, reichte ihm Met und fragte ihn, was ihn in Gymirs Halle führe. Skirnir erzählte der Riesin von Freys Liebe zu ihr und bot ihr wertvolle Geschenke, wenn sie ihn erhöre: elf goldene Äpfel und einen Ring, der sich jede neunte Nacht um acht ebenso schwere Ringe vermehrte – ein deutlicher Hinweis auf den immensen Reichtum, über den der Wane verfügte. Das Mädchen aber wies die Geschenke mit der Bemerkung zurück, sie besäße schon genügend Gold. Nun griff Skirnir zu Drohungen, die immer ungeheuerlicher (und in gewissem Maße auch immer mysteriöser) wurden, bis sie schließlich nachgab. Nach neun Nächten, so teilte sie Skirnir mit, wolle sie mit Frey zusammentreffen und mit ihm Hochzeit halten. Skirnir ritt heim. Frey war so begierig auf Nachricht, daß er seinen Gesandten vor der Tür erwartete. Skirnir richtete Gerds Botschaft aus. Freys Antwort wird allen wahrhaft Liebenden aus dem Herzen sprechen:

Lang ist eine Nacht, länger sind zweie:
Wie mag ich dreie dauern?
Oft deucht' ein Monat mich minder lang
Als eine halbe Nacht des Harrens. (42)

Trotz mancher Unklarheit erzählt *Fǫr Skírnis* einen der leichter zu durchschauenden nordischen Mythen. Der Name Gerd wurde mit dem gebräuchlichen altnordischen Hauptwort *garðr*, »umzäuntes Stück Land, Feld«, in Verbindung gebracht, und die Vereinigung von Frey und Gerd wird als ein Ausdruck der gesegneten Verbindung des Gottes der Fruchtbarkeit mit dem kultivierten Land gesehen. Zu guter Letzt zeitigt »Skirnirs Fahrt« ein glückliches Ende. Doch es bleibt dem hämischen Loki überlassen, in einer typischen Strophe der *Lokasenna* auf die Folgen dieser Werbung hinzuweisen:

> Mit Gold erkauftest du   Gymirs Tochter
> Und verscherztest dein Schwert.
> Wenn aber Muspells Söhne   durch Myrkwid reiten,
> Womit willst du streiten, Unsel'ger?   (42)

Muspells Söhne werden zu der Streitmacht gehören, die die Götter am Ende der Welt angreifen und vernichten wird. Frey wird zwar kämpfen, um die Götter zu verteidigen, doch wie soll ihm das gelingen ohne das wunderbare Schwert, das er in einem unbedachten Augenblick aus Dankbarkeit seinem Brautwerber schenkte?

Als nächstes wollen wir uns einer bezeichnenden Geschichte über Frey zuwenden, deren Hintergründe indes fragwürdig sind. Sie ist in Snorris *Heimskringla* enthalten und behandelt somit Frey, als wäre er ein früher König und nicht ein Gott – ein weiterer Aspekt der euhemeristischen Deutung der heidnischen nordischen Götter durch diesen Autor. Dies wirkt sich auf den Inhalt der Geschichte aus. Njörd und Frey werden als einander auf dem schwedischen Thron folgende Könige dargestellt. Frey genoß große Beliebtheit; während seiner Regentschaft waren die Ernten gut, und es herrschte langwährender Friede, den die Schweden ihrem König zuschrieben. Für den Bau des großen Tempels von Uppsala verwendete er alles Geld, das vom Volk als Steuern und Abgaben entrichtet wurde.

> Frey wurde krank, und als die Krankheit immer weiter voranschritt, überlegten seine Männer, was zu tun sei. Sie ließen nur wenige Leute in seine Nähe, und sie errichteten einen großen Erdhügel, den sie mit einer Tür und drei Fenstern versahen. Als Frey gestorben war, trugen sie seinen Leichnam heimlich in den

Eine Rekonstruktion des Tempels von Uppsala, aus Olaus Magnus' 1555 erschienener »Geschichte der Nordvölker«

Hügel und erzählten den Schweden, der König sei noch am Leben. Dort hielten sie ihn drei Jahre lang versteckt. Die gesamten Steuereinnahmen schütteten sie in den Hügel, das Gold zum einen Fenster hinein, das Silber beim zweiten und die Bronzemünzen beim dritten. Die Zeit des Friedens und der Fruchtbarkeit dauerte an ... Als alle Schweden schließlich erkannten, daß Frey zwar tot war, Frieden und gute Ernten aber dennoch nicht aufhörten, schlossen sie daraus, das dies so sein werde, solange Frey in Schweden bleibe. Deshalb weigerten sie sich, seine Leiche einzuäschern. Sie nannten ihn *veraldargoð*, »Gott der weltlichen Dinge«, und brachten ihm von da an Opfer, um Frieden und gute Ernten zu erbitten.

Zwar enthält diese Geschichte Elemente – Reichtum, Fruchtbarkeit –, die für die Unternehmungen des Gottes Frey typisch sind, doch ist sie vor allem auch eine Verherrlichung sowohl von Königtum als auch von Göttlichkeit. Schließlich war *freyr* ursprünglich ein gebräuchliches Wort mit der Bedeutung »Herr«, verwandt mit dem altenglischen Wort *frea*, das auf irdische und himmlische Herrscher gleichermaßen Anwendung fand. Späteren mittelalterlichen Geschichten ist zu entnehmen, daß die Verehrung, die den frühen skandinavischen Königen entgegengebracht wurde, anscheinend wuchs oder sank mit ihrer Fähigkeit, ihren Völkern Frieden und Wohlergehen, reiche Ernten und großen Viehbestand zu sichern. Es finden sich Hinweise, wonach Könige, die dazu nicht in der Lage waren, getötet wurden. Einer dieser Unglücklichen, über den Snorri in seiner *Heimskringla* berichtet, war der geflohene schwedische König Olaf, mit dem Beinamen »der Baumfäller« belegt, weil er in den Westen des Landes flüchtete und voller Tatkraft alle Wälder rodete und das Land urbar machte. Als andere Verbannte sahen, wie fruchtbar der Boden war, schlossen sie sich ihm an:

> Und eine solche Flut von Menschen strömte in sein Gebiet, daß das Land nicht alle ernähren konnte. Deshalb gab es große Hungersnot. Die Schweden machten ihren König dafür verantwortlich, denn bei den Schweden ist es Brauch, daß sie ihrem König die guten Zeiten wie auch die schlechten zuschreiben. König Olaf hielt nichts von Opfern. Die Schweden waren darüber ungehalten, denn sie hielten es für die Ursache der Hungersnot. Sie taten sich zusammen und fielen plötzlich über Olaf her. Sie fingen ihn in seinem Haus und verbrannten ihn darin. So opferten sie ihn Odin, um für sich selbst eine gute Ernte zu bekommen. Dies geschah am Wänernsee.

In seinen Aufzeichnungen über Frey erzählt Snorri eine Königsgeschichte, die zugleich eine religiöse Geschichte ist. Sie erinnert an eine Anekdote des Saxo Grammaticus über den dänischen König Frothi; dieser war ebenfalls für die lange Periode des Friedens berühmt, die er seinem Volk gebracht hatte. Als der König starb, wollten seine Gefolgsleute seinen Tod geheimhalten und damit die Fortdauer von Ruhe und Frieden im Land gewährleisten. Sie balsamierten den Leichnam ein und ließen ihn in einer Sänfte im Land

umhertragen, als sei der König zu gebrechlich, um auf andere Art zu reisen. Erst als die Leiche zu verwesen begann, bestatteten sie ihn, wie es sich ziemte.
Auch hier scheint es sich um die Umformung eines religiösen Mythos zu handeln. Der Name *Frothi* ist möglicherweise mit dem Adjektiv *fróðr*, »fruchtbar, ergiebig«, verwandt. Seine posthume Reise durch das Land (mit der vielleicht eine reiche Ernte erfleht werden sollte) kann mit jener von Nerthus, der *terra mater*, der Mutter Erde, in Tacitus' Bericht verglichen werden (Übersetzung von Manfred Fuhrmann):

> Es gibt auf einer Insel des Weltmeeres einen heiligen Hain, und dort steht ein geweihter Wagen, mit Tüchern bedeckt; einzig der Priester darf ihn berühren. Er bemerkt das Eintreffen der Göttin im Allerheiligsten; er geleitet sie in tiefer Ehrfurcht, wenn sie auf ihrem mit Kühen bespannten Wagen dahinfährt. Dann folgen frohe Tage; festlich geschmückt sind alle Orte, denen die Göttin die Huld ihrer Ankunft und Rats gewährt. Man zieht nicht in den Krieg, man greift nicht zu den Waffen; verschlossen ist alles Eisen. Dann kennt, dann liebt man nur Ruhe und Frieden, bis die Göttin, des Umgangs mit Menschen müde, vom gleichen Priester ihrem Heiligtum zurückgegeben wird. Dann werden Wagen und Tücher und, wenn man es glauben will, die Gottheit selbst in einem entlegenen See gewaschen. Sklaven sind hierbei behilflich, und alsbald verschlingt sie derselbe See. So herrscht denn ein geheimes Grauen und heiliges Dunkel, was das für ein Wesen sei, das nur Todgeweihte schauen dürfen.

Die Geschichte des toten Königs, der in seinem Reich umhergetragen wird, um fortdauernden Wohlstand zu sichern, erinnert aber auch ein wenig an die Geschichte vom Unfalltod des halblegendären norwegischen Königs Halfdan des Schwarzen, des Vaters von Harald Schönhaar. Snorri erzählt sie in einem frühen Abschnitt von *Heimskringla*. Halfdan fuhr von einem Festmahl in Hadeland nach Hause, wobei ihn sein Weg über den zugefrorenen

Randsfjord führte. Es war Frühling und das Eis tückisch. Plötzlich gab es nach, und Halfdan ertrank mit seinem gesamten Gefolge. Die Leichen wurden geborgen. Halfdan war ein König gewesen, während dessen Herrschaft es stets reiche Ernten gegeben hatte. Die Männer von Ringerike brachten seinen Leichnam zu sich nach Hause, um ihn dort zu bestatten. Dagegen machten die Leute seiner anderen Herrschaftsgebiete – Rømerike, Vestfold und Heidmark – Einwände geltend, da sie glaubten, die fruchtbaren Zeiten würden in der Region fortdauern, in der der Leichnam bestattet sei. Deshalb erhoben alle Anspruch auf den toten König. Schließlich erreichten sie einen staatsmännischen Kompromiß: Sie vierteilten die Leiche und setzten in jeder der Provinzen einen Teil bei. Deshalb, so behauptet Snorri, gibt es in Norwegen vier verschiedene Orte mit dem Namen »Halfdans Grabhügel«.

Die Verbindung des Namens *Frothi* mit dem Adjektiv *fróðr*, »fruchtbar, knospend«, legt nahe, daß es sich dabei um einen Beinamen Freys handeln könnte. Ein Kapitel in der *Ynglingasaga* von Snorris *Heimskringla* verdeutlicht, daß die beiden Namen eng verknüpft sind. Snorri stellt Frey als schwedischen König vor, als Nachfolger Njörds auf dem schwedischen Thron. Seine Herrschaft beschreibt er so:

> Er war gesegnet mit Freunden und reichen Ernten, wie es schon sein Vater gewesen war. Frey ließ einen großen Tempel in Uppsala bauen, machte den Ort zu seiner Hauptresidenz und verwendete seine gesamten Steuereinnahmen, seine Ländereien und sein Vermögen darauf. Damals wurde die königliche Schatzkammer von Uppsala geschaffen, die seitdem besteht. Zu Freys Zeiten begann »Frothis Friede«, als es überall im Land reiche Ernten gab. Die Schweden schrieben dies Frey zu.

Friede und Fruchtbarkeit sind im Nordischen eng verknüpft, denn immer wieder liest man von Opfern, die *til árs ok friðar*, »für Fruchtbarkeit und Frieden«, dargebracht wurden. Der primitive Kult der Gottheit Nerthus war, wie wir gesehen haben, ebenfalls ein Friedenskult. Ortsnamen und frühe Hinweise in den Sagas bestätigen diese Verknüpfung von Wanen und fruchtbarer Friedlichkeit. Freys Name ist in norwegischen und schwedischen Ortsnamen recht häufig anzutreffen, meist in Zusammensetzungen mit »Wiese«, »Feld« u. ä., womit vermutlich an Ernten reiche Landstriche bezeichnet wurden. Njörd und Frey waren gleichermaßen wohlhabend. Ja, Snorri (oder vielmehr »der Hohe« in *Gylfaginning*) sagt, Njörd »ist so reich und vermögend, daß er allen, welche ihn darum anrufen, Gut, liegendes sowohl als fahrendes, gewähren mag«. Frey nennt bedeutende Schätze wie den Eber Gullinborsti sein eigen, der die Dunkelheit mit dem Leuchten seiner goldenen Borsten erhellt. Er besitzt ein Schiff mit beneidenswerten Eigenschaften: Es kann alle Asen samt ihren Waffen und Rüstungen aufnehmen, es vermag günstigen Fahrtwind aufkommen zu lassen, sobald das Segel gesetzt ist, und wenn es nicht gebraucht wird, kann es aus dem Meer genommen, wie ein Tuch zusammengefaltet und in einen Beutel gesteckt werden. Auch Freys Vater hatte eine Verbindung zu Schiffen und zur See.

Trotz aller Unterschiede weisen die Geschichten um Frey, Frothi, Halfdan (und auf andere Art auch die um Nerthus) gemeinsame Elemente auf, Themen, die sich in unterschiedlichem Maß durch andere frühskandinavische und sogar germanische Geschichten erhärten lassen: ein Gott/König, der einem Volk Frieden und Wohlstand sichert; reiche Ernten, deren Fortdauer nach Volksmeinung gewährleistet werden kann, solange sich sein Leichnam im Besitz eines Volkes befindet; um diesen Überfluß zu sichern, wird der Gott/König in einer Kutsche durch sein Reich gefahren.

Hinter Sagen wie diesen steht ein allgemein bekannter skandinavischer oder wahrscheinlich germanischer Mythos und vielleicht sogar irgendein daraus abgeleitetes religiöses Ritual. Die Wanen waren fraglos wichtige Gottheiten für die praktischen Belange nordischer religiöser Aktivität. Sie sorgten für und geboten über den Wohlstand, von dem die nordische Gesellschaft in Landwirtschaft und Handel abhängig war. Es kann daher nicht überraschen, daß sie oft als Götter in Erscheinung treten, denen Opfer gebracht wurden. Paradoxerweise könnte in ebendieser praktischen Bedeutung die Erklärung dafür liegen, daß nur verhältnismäßig wenige

Mythen über ein so wichtiges Göttergeschlecht überliefert sind. Der im 11. Jahrhundert lebende Geschichtsschreiber Adam von Bremen beschreibt in seiner *Hamburgischen Kirchengeschichte* den großen heidnischen Tempel von Uppsala und die dort praktizierten Riten. Im Tempel gab es Bilder dreier Götter; einer der Abge-

Die drei großen Götter im Tempel von Uppsala. Thor sitzt in der Mitte, Odin steht links von ihm. Rechts sollte eigentlich Frey stehen, doch irrtümlich wurde die Göttin Frigg dort plaziert. Wiederum aus Olaus Magnus' »Geschichte der Nordvölker«

bildeten, von Adam »Frikko« genannt, war mit Sicherheit Frey, »der den Menschen Frieden und Lust schenkt«. Adam gibt eine kurze Schilderung der großen Frühjahrsopfer, fügt indes enttäuschenderweise hinzu: »Im übrigen singt man bei solchen Opferfeiern vielerlei unanständige Lieder, die ich deshalb lieber verschweigen will.«

Zwangsläufig mußten heidnische Feiern und Bräuche christliche Chronisten schockieren, und deshalb zogen sie es vor, gar nicht darüber zu sprechen. Galten die Riten Gottheiten, die das Alltagsleben – das Florieren von Landwirtschaft oder Viehzucht, den Erfolg von Handelsfahrten oder Fischfang – beeinflußten, waren sie in einer frühchristlichen Gesellschaft nur um so gefährlicher; denn die Menschen wollten sie nicht aufgeben, hing doch der Fortbestand ihrer Gemeinschaften von dem Erfolg ab, den sie als Bauern oder Seeleute hatten. So war es für die christlichen Missionare besonders wichtig, dafür zu sorgen, daß diese Götter des Landes und der See unterdrückt und ihre Mythen vergessen oder durch christliche Gegenstücke ersetzt wurden.

Odin und Thor

Die beiden berühmtesten und mächtigsten Asen, Odin und Thor, waren von Grund auf verschieden: Odin war der Gott der Dichter und Könige, der Krieger und des Zaubers, Thor der Gott, an den sich der normale Wikinger, der in den Fjorden Islands oder Norwegens lebende Fischer oder Bauer wandte. Dumézil betrachtet die beiden als Typen und klassifiziert sie entsprechend. In seiner Einteilung der Götter nach Funktionen und Anhängerschaft sieht er Odin als souveränen Gott, als König, Priester und Zauberer. Thor trägt seiner Meinung nach die Charakterzüge eines Kriegsgottes, unbeugsam und aggressiv. Diese Unterscheidung hat etwas für sich, auch wenn sie, auf Mythologie oder Religion der Wikingerzeit angewandt, stark vereinfacht. Zweifellos kämpft Thor, um die Götter vor ihren Todfeinden, den Riesen, zu retten; doch auch Odin hat mit Kampf und Schlacht zu tun, schützt er doch die von ihm auserwählten Krieger und holt sie dann zu sich nach Walhall, wo sie sich auf den letzten Kampf am Weltenende vorbereiten.

Odin

Von den beiden Göttern war Odin die weitaus komplexere Persönlichkeit. Diese Vielschichtigkeit ergab sich nach Auffassung einiger Wissenschaftler aus dem Umstand, daß Odin im Lauf der Jahrhunderte Eigenschaften und Betätigungsfelder übernahm, die früher anderen Göttern vorbehalten gewesen waren; sie spiegelt sich in der Vielzahl von Namen, mit denen Odin belegt wurde – fast so etwas wie Spitznamen; das nordische Wort dafür war *heiti*, ein mit dem Verb *heita*, »genannt werden«, verwandtes Substantiv.

Snorri erklärt, diesmal als »der Dritte« in *Gylfaginning*, Odin sei der älteste und vornehmste der Götter, der aller Dinge walte. Die anderen Götter dienten ihm wie Kinder ihrem Vater – das sei natürlich viele Jahre her. »Der Dritte« nennt ihn *Alfǫðr*, Allvater, bezeichnet ihn aber auch als Vater der Gefallenen (*Valfǫðr*), Gott der Gehängten (*Hangaguð*), Gott der Gefangenen (*Haptaguð*), Gott der Lasten (*Farmaguð*); zudem, so fügt er hinzu, habe Odin während seines Besuchs bei König Geirrod selbst zahlreiche weitere Namen aufgezählt, die »der Dritte« aus *Grímnismál* zitiert:

Ich hieß Grim und Gangleri,
Herjan und Hjalmberi,
Theck und Thridi, Thudr und Udr,
Helbindi und Har. (47)

Sadr und Swipal und Sanngetal,
Herteit und Hnikar ...
Bileyg, Baleyg, Bölwerk, Fjölnir,
Grimnir und Glapswidr. (48)

Und so geht es noch strophenlang weiter. Kein Wunder, daß Gangleri erstaunt ausruft: »Erschrecklich viel Namen habt ihr ihm gegeben, und wohl glaube ich, daß er sehr klug sein müsse, der weiß und angeben kann, welche Begebenheiten einen jeden dieser Namen veranlaßt haben.«

Was man in der Tat braucht, sind Grundkenntnisse in altnordischer Etymologie, jedenfalls für einige der Namen. *Grímr* wird für gewöhnlich als »der Maskierte, der eine Kapuze Tragende« gedeutet. *Herian* ist mit dem Substantiv *herr*, »Heer«, verwandt, und in *Hiálmberi* steckt das Wort *hiálmr*, »Helm«. *Hár* bedeutet ganz offensichtlich »der Hohe«; eine – keineswegs gesicherte – alternative etymologische Erklärung will *Hár* als »der Blinde« verstanden wissen. *Svipall* ist mit dem Adjektiv *svipull*, »wankelmütig, launisch«, verknüpft. Es folgen Namen mit Bedeutungen wie »Entzünder« (*Hnikarr*), »Schwachäugiger« (*Bileygr*), »Glutäugiger« (*Báleygr*), »Übeltäter« (B*ǫlverkr*), »der eine lange Kapuze trägt« (*Siðhǫttr*), »Siegvater« (*Sigfǫðr*), »der Blinde« (*Blindi*), »der mit dem Zauberstab« (G*ǫndlir*), »Wallach« (*Iálkr*), »Ernährer« (*Kialarr*), »Zerstörer« (*Viðurr*), »Entsetzen« (*Yggr*), »Wind« (*Váfuðr*) und »Gott der Menschen« (*Veratýr*). Die Namen lassen verschiedene Seiten von Odins Charakter bzw. die Weite seines Zuständigkeitsbereiches erkennen: Er ist der Gott des Krieges und des Sieges, der Gott des Zaubers, der finstere Gott, der furchteinflößende und ehrfurchtgebietende Gott, der Gott, der den Winden befehlen, der Gott, dessen Wort man nicht trauen konnte. Hinter einigen Namen verbergen sich Mythen. Die Tatsache, daß Odin den eigentlich weiblichen Wesen vorbehaltenen Zauber *seiðr* praktizierte (wodurch seine Männlichkeit in Frage gestellt werden konnte), ist möglicherweise der Ursprung für den Namen *Iálkr*, »Wallach«. Die vielen Geschichten, in denen Odin verkleidet umherreist, erklären Namen wie *Grímr* und *Siðhǫttr.* Namen wie *Bileygr, Blindi* und vielleicht auch *Hár* erinnern daran, daß Odin einäugig war, denn ein Auge hatte er für einen Trunk aus Mirmirs Brunnen, der Quelle von Weisheit und Mutterwitz, opfern müssen.

Namen, die mit Krieg und Rüstung zu tun haben, zielen auf den Gott der Schlachten, der großen Kriegern beisteht und ihnen zum Sieg verhilft, den Gott, der für sein Heer die tapfersten Kämpfer auswählt, Männer wie Erik Blutaxt. Doch gerade hier erweist sich Odin auch als treulos, wankelmütig und launisch, denn nachdem er einem hervorragenden Kämpfer eine Weile lang geholfen hat, läßt er ihn plötzlich im Stich und im Kampf fallen, damit er nach Walhall kommen und in Odins Heer eintreten kann. Tatsächlich ist Treulosigkeit einer von Odins Wesenszügen, wie sie ja auch Teil der Lebensweise der Wikinger ist, von denen viele Odin als ihren persönlichen Gott betrachtet haben müssen.

Vertrauensbruch ist eines der Themen der eddischen Liedsammlung *Hávamál*, »Des Hohen Lied«. Odin äußert sich darin über seine Erfahrungen mit der Welt und sinnt zynisch über den Verrat nach, den Männer und Frauen aneinander begehen.

Die Liebe der Frau, die falschen Sinn hegt,
Gleicht unbeschlagnem Roß auf schlüpfrigem Eis,
Mutwillig, zweijährig und übel gezähmt;
Oder steuerlosem Schiff auf stürmender Flut,
Der Gemsjagd des Lahmen auf glatter Bergwand. (90)

Doch um der Gerechtigkeit Genüge zu tun, fügt er hinzu:

Offen bekenn ich, der beides wohl kenne:
Der Mann ist dem Weibe wandelbar;
Wir reden am schönsten, wenn wir am schlechtesten denken:
So wird die Klügste geködert. (91)

Danach spielt er auf zwei Erlebnisse an, die diesen unterschiedlichen Verrat illustrieren sollen. Die Mythen werden nicht zur Gänze erzählt, und vom ersten Mythos wissen wir nicht mehr als das, was *Hávamál* preisgibt. Der zweite kann aus weiteren Quellen vervollständigt werden.

Im ersten »Odinsbeispiel« erzählt uns der Gott von einem seiner Liebesabenteuer, dem allerdings kein glückliches Ende beschieden war. Er verliebte sich in ein Mädchen, offenbar in eine Riesin, von der er nur als »Billungs Tochter« spricht. Er trat an ihr Bett, doch sie bat ihn, zu gehen und erst am Abend wiederzukommen, da es sich nicht schicke, wenn außer ihnen jemand von ihrer Liebe zueinander wüßte. Odin stellte sich zur verabredeten Zeit erneut ein, fand indes das Gehöft von einer Schar Dienstboten mit brennenden Fackeln streng bewacht. Er trat den Rückzug an, kehrte aber am nächsten Morgen zurück. Die Wachen schliefen jetzt, und Odin hoffte, sein Verlangen endlich befriedigen zu können. Doch statt des Mädchens fand er nun eine Hündin vor, die an das Bett gebunden war.

Bei dem zweiten »Odinsbeispiel« geht es um eine Geschichte, die wir bereits kennen: Odins Diebstahl des Dichtermets aus der Höhle des Riesen Suttung. Der *Hávamál*-Dichter konzentriert sich auf einen Aspekt, nämlich die Verführung von Suttungs Tochter Gunnlöd durch Odin. Durch sein auf Andeutungen beschränktes Vorgehen stellt der Verfasser sein Publikum vor die Notwendigkeit, die Lücken in seiner Schilderung der Ereignisse durch eigene Kenntnisse zu schließen:

Den alten Riesen besucht ich, nun bin ich zurück.
Mit Schweigen erwarb ich da wenig.
Manch Wort sprach ich zu meinem Gewinn
In Suttungs Saal. (104)

(An anderer Stelle erörtert *Hávamál* eingehend, von welch großer Bedeutung die Beredsamkeit für einen Mann ist, der Erfolg haben will.)

Gunnlöd schenkte mir auf goldnem Sessel
Einen Trunk des teuern Mets.
Übel vergolten hab ich gleichwohl
Ihrer lauteren Liebe,
Ihrem schweren Schmerz. (105)

Hierauf folgt eine unklare Strophe, die möglicherweise nicht an der richtigen Stelle steht. In ihr erfahren wir, wie Odin sich mit Hilfe des Bohrers Rati Zugang in Suttungs felsumschlossene Halle verschafft hat – oder schildert sie, wie er wieder herauskam?

Ratis Mund ließ ich den Weg mir räumen
Und den Berg durchbohren;
Über und unter mir eisiger Fels,
So wagte ich mich an das Werk. (106)

Nach einer schwierigen Strophe über den Dichtermet heißt es weiter:

Zweifel heg ich, ob ich heim wär gekehrt
Aus der Riesen Reich,
Wenn mir Gunnlöd nicht half, die gute Maid,
Die den Arm um mich schlang. (108)

Und schließlich:

Den Ringeid, sagt man, hat Odin geschworen:
Wer traut noch seiner Treue?
Den Suttung beraubt' er mit Ränken des Mets
Und ließ Gunnlöd sich grämen. (110)

Aus anderen Quellen, darunter einer aus der angelsächsischen Geschichte, wissen wir, daß die Wikinger den »Ringeid« – einen auf den Altarring geschworenen Eid – besonders hoch in Ehren hielten. Dennoch hat Odin seinen Ringeid gebrochen.

Die Geschichte von Odins Diebstahl des Dichtermets hat noch weit mehr zum Inhalt, auch wenn uns nicht immer alles erschließbar ist. So enthält das »Alte Sittengedicht« am Beginn von *Hávamál* z. B. eine unüberhörbare Warnung vor unmäßigem Alkoholgenuß:

Nicht ist so gut, als mancher glaubt,
Das Äl den Erdensöhnen;
Denn um so minder, je mehr man trinkt,
Hat man seiner Sinne Macht. (12)

Daran schließen sich die Verse an:

Der Vergessenheit Reiher überrauscht Gelage
Und stiehlt die Besinnung.
Des Vogels Gefieder befing auch mich
Als ich Gunnlöds Gast war. (13)

Trunken war ich, ward übertrunken
Bei dem erfahrenen Fjalar.
Trunk mag taugen, wenn man ungetrübt
Sich den Sinn bewahrt. (14)

Ein betrunkener Odin, der Gunnlöd verführt, ergibt ein neues Bild. Darüber hinaus handelt es sich, wenn diese beiden Strophen verbunden werden, bei Gunnlöds Halle und Fjalars Halle um den gleichen Ort. Odin stahl den Met also nicht dem Riesen Suttung, sondern Fjalar, einem der Zwerge, die den Trank aus Kwasirs Blut gebraut hatten.

Bei Snorri hat die Geschichte ein Vorspiel. Zwar hätten, so berichtet er, die Zwerge Fjalar und Galar ursprünglich den Met gebraut, Suttung habe jedoch als Vergeltung für die Ermordung seiner Eltern, des Riesen Gilling und dessen Frau, beiden den Trank abverlangt. Die Zwerge hatten Gilling eingeladen, mit ihnen aufs Meer hinauszurudern. Dort brachten sie das Boot zum Kentern, und Gilling ertrank. Als sie seiner Gattin die Todesnachricht überbrachten, begann sie so laut und ausdauernd zu weinen, daß Fjalar das Schluchzen schließlich nicht mehr ertragen konnte. Er redete ihr zu, vor das Haus zu treten – vielleicht würde es sie trösten, zu der Stelle hinzublicken, wo das Unglück geschehen war. Sie willigte ein. Sowie sie aus der Tür trat, ließ Galar der Riesin einen Mühlstein auf den Kopf fallen, der sie tötete. Suttung erfuhr, daß die Zwerge am Tod seiner Eltern schuld waren, und sann auf Rache. Er packte Fjalar und Galar und ruderte mit ihnen zu einer kleinen Felseninsel hinaus, die bei Flut vom Wasser überspült wurde. Er drohte, sie dort auszusetzen, es sei denn, sie zahlten ihm Buße. Zähneknirschend willigten sie ein, ihm den Met zu überlassen. Er nahm ihn mit nach Hause und vertraute ihn der Obhut seiner Tochter Gunnlöd an.

Odin war entschlossen, den Met in seinen Besitz zu bringen. Auf dem Weg zu Suttungs Festung kam er an einer Wiese vorbei, wo neun Männer mit stumpfen Sensen mähten. Es waren die Knechte von Suttungs Bruder Baugi. Odin bot ihnen an, ihre Sensen zu schärfen, und begeistert stellten die Männer fest, daß sie danach viel schneller mit ihrer Arbeit vorankamen. Sie fragten Odin, ob er ihnen seinen Wetzstein verkaufe. Er warf ihn zwischen sie, und sie stürzten sich alle darauf. In dem Durcheinander schnitten sie sich mit den scharfen Sensen gegenseitig die Kehlen durch. Nun begab sich Odin zu Baugis Gehöft. Baugi war bestürzt und ratlos, weil er alle seine Knechte verloren hatte. Da erbot sich Odin, die gesamte Arbeit allein zu erledigen; als Gegenleistung verlangte er einen Schluck von Suttungs Met. Er stellte sich als Bölwerk vor, was selbst einen Riesen hätte warnen sollen, denn »Bölwerk« bedeutet nichts anderes als »Übeltäter«. Baugi schien indes keinen Verdacht zu schöpfen. Er wies seinen Besucher nur darauf hin, daß er keinerlei Zugang zu Suttungs Met habe, erklärte sich aber bereit, sein bestes zu tun, um ihm bei der Erfüllung seines Wunsches zu helfen. Bölwerk leistete den ganzen Sommer über Schwerstarbeit, und als der Winter kam, forderte er seinen Lohn. Baugi begleitete ihn zu Suttung, doch sein Bruder weigerte sich, auch nur einen einzigen Tropfen des Mets herauszugeben. Baugi und Bölwerk taten sich nun zusammen, um trotzdem an den Trank heranzukommen, und gemeinsam bohrten sie ein Loch durch die Felswand, hinter der er aufbewahrt wurde. Bölwerk verwandelte sich in eine Schlange und wand sich durch das Loch. Den Rest kennen wir.

Die Geschichte illustriert einige der unangenehmeren Eigenschaften Odins: seine hinterhältige, auf den eigenen Vorteil bedachte Schlauheit, seine Fähigkeit, sich in alles Mögliche zu verwandeln, seine Vorliebe für Verkleidungen und falsche Namen, seine Zuflucht zu Hinterlist und Verrat. Ein etwas positiveres Bild ergibt sich, wenn wir seinen Anspruch, ein Gott der Weisheit zu sein, in unsere Betrachtungen einbeziehen. Wir haben bereits gesehen, wie er Weisheit erwarb: indem er sich durch Hängen selbst opferte, indem er ein Auge als Gegenleistung für einen Trank aus dem Brunnen der Weisheit hingab. Daneben verfügte er aber auch noch über andere Möglichkeiten: Er konnte die Toten sprechen machen; er konnte den weisen Mimir befragen; er konnte sämtliche Zauberkräfte nutzen; er besaß zwei Raben, Huginn und Muninn, die über die drei Welten flogen und ihm alle Neuigkeiten zutrugen.

Odins Kenntnis der Kosmologie sowie vergangener und künftiger Ereignisse ist für uns von Bedeutung, denn sie ist in der kleinen Gruppe von Wissensdichtungen bewahrt, aus der wir einen Großteil unseres Wissens über nordischen Glauben und nordische Mythen beziehen. Eine dieser Dichtungen ist *Vafþrúðnismál*, die Schilderung eines Wettstreits, in dem Odin und der Riese Wafthrudnir ihre Fähigkeiten und ihr Wissen messen. Wafthrudnir gilt als der weiseste und erfahrenste unter den Riesen. Das Lied beginnt mit einer Unterhaltung zwischen Odin und seiner Gattin Frigg. Odin überlegt, ob er Wafthrudnir aufsuchen soll, um herauszufinden, wieviel dieser tatsächlich weiß, und erfragt ihren Rat, den zu befolgen er dann aber doch nicht gewillt ist. Frigg, eine gehorsame Gattin, wünscht ihm eine gesunde Heimkehr und läßt ihn ziehen. Odin gelangt zu Wafthrudnirs Halle, begrüßt den Riesen nicht eben taktvoll, wird aber dennoch hineingebeten und nach seinem Namen gefragt. Typischerweise nennt Odin einen falschen Namen, nämlich Gagnrad. Der Riese stellt seinem Gast ein paar Fragen, erkennt, daß dieser über großes Wissen verfügt, und schlägt einen Wettstreit vor: Sie sollten ihre Fähigkeiten messen, der Unterlegene solle seinen Kopf verlieren. Gagnrad beginnt Wafthrudnir über den Ursprung der Welt, der Natur und der Götter sowie das Ende aller Dinge auszufragen. Der Riese antwortet sachkundig, bis Gagnrad ihm mit seiner letzten Frage eine Falle stellt: Er will wissen, was Odin seinem Sohn Balder ins Ohr sagte, ehe der ermordete Gott auf den Scheiterhaufen gelegt wurde. Allein Odin kann die Antwort auf diese Frage wissen, und der Riese erkennt, daß er überlistet wurde:

> Nicht Einer weiß, was in der Urzeit du
> Sagtest dem Sohn ins Ohr.
> Den Tod auf dem Munde, meldet ich Schicksalsworte
> Von der Asen Ausgang.
> Mit Odin kämpft ich in klugen Reden:
> Du wirst immer der Weiseste sein. (55)

Ein anderes Lied der Wissensdichtung mit Odin als zentraler Gestalt ist *Grímnismál*. Seine Strophen im *Codex Regius* sind in eine Rahmenhandlung eingebettet, die uns von zwei jungen Prinzen erzählt, dem zehnjährigen Agnarr und dem acht Jahre alten Geirrod. Sie waren zum Fischen hinausgefahren, als der Wind sie auf das offene Meer hinaustrieb. Schließlich strandeten sie an einer unbekannten Küste in der Nähe einer kleinen Bauernkate. Sie blieben den Winter über bei dem Bauern und seiner Frau, und der Bauer kümmerte sich besonders um Geirrod. Im Frühjahr fand sich ein Schiff für die beiden Brüder. Bevor sie an Bord gingen, erteilte der Bauer Geirrod leise einige Anweisungen. Als das Schiff die heimatlichen Gestade erreichte, sprang Geirrod, der am Bug stand, an Land und stieß das Boot mit seinem Bruder ins Meer zurück. Geirrod ging nach Hause, stellte fest, daß sein Vater, König Hraudung, inzwischen gestorben war, wurde zu dessen Nachfolger erklärt und ein mächtiger und berühmter König. Der rechtmäßige Erbe, Agnarr, trieb in dem Boot übers Meer, strandete schließlich an einer einsamen Küste und wurde von dort lebenden Riesen aufgenommen.

Das Schicksal der beiden Brüder verursachte auch höheren Ortes böses Blut, denn Geirrod war Odins Pflegesohn, Agnarr aber der Pflegesohn von Frigg. Eines Tages saß das Ehepaar auf seinem Hochsitz und beobachtete, was auf der Welt geschah, als Odin taktlos bemerkte: »Siehst du Agnarr, deinen Pflegling, wie er in der Höhle mit einem Riesenweibe Kinder zeugt; aber Geirrod, mein Pflegling, ist König und beherrscht sein Land.« Frigg erwiderte spitz: »Er ist aber solch ein Neidling, daß er seine Gäste quält, wenn er meint, es kämen zu viele.« Das war nach Odins Ansicht eine glatte Verleumdung, und sie stritten darüber. Odin wettete mit seiner Frau, er könne beweisen, daß sie Unrecht habe.

Odin verkleidete sich und begab sich in Geirrods Halle, um Friggs Anschuldigungen zu überprüfen. Aber Frigg war schlauer als ihr Gatte und sandte rasch eine Botin zu Geirrod, um den König zu warnen und ihn aufzufordern, vor dem dubiosen Fremden auf der Hut zu sein, der in seinem Land aufgetaucht war. Geirrod ließ sich täuschen und nahm Odin gefangen. Odin war in einen blauschwarzen Mantel gehüllt und nannte sich Grimnir, »der Maskierte«. Beides hätte den König hellhörig machen müssen, wäre er nur klug genug gewesen. Geirrod wollte mehr von dem Fremden wissen. Da Grimnir jedoch auf seinem Recht zu schweigen bestand,

folterte Geirrod ihn. Er befahl, daß zwei große Feuer angezündet würden, setzte Grimnir dazwischen und ließ ihn dort acht Tage lang schmachten. Die Hitze war so groß, daß sein Mantel Feuer zu fangen drohte. Geirrod hatte einen zehn Jahre alten Sohn, den er, nicht gerade taktvoll, nach seinem Bruder Agnarr genannt hatte. Der junge Agnarr hatte Mitleid mit Grimnir und gab ihm zu trinken. Mit Grimnirs Dank und seiner Prophezeiung, Agnarr solle mit dem Thron belohnt werden, beginnen die Verse.
Im folgenden stellt Grimnir sein umfangreiches Wissen unter Beweis. Er zählt die Wohnstätten der verschiedenen Götter auf und die übernatürlichen Wesen, die ihre Welt bewohnen, und berichtet von der Schöpfung des Firmaments und den Schätzen der Götter – alles Dinge, die seinen Zuhörer über seine wahre Identität aufklären sollten. Er schließt mit der Prophezeiung, Geirrod werde durch das Schwert den Tod finden, und gibt seinen Namen preis: »Nun magst du Odin schauen: / Komm heran, wenn du kannst.« Der Schluß wird wieder in Prosa erzählt:

> König Geirrod saß und hatte das Schwert auf den Knien halb aus der Scheide gezogen. Als er aber vernahm, daß Odin gekommen sei, sprang er auf und wollte ihn aus den Feuern führen. Da glitt ihm das Schwert aus der Hand, der Griff nach unten gekehrt. Der König strauchelte und stürzte vornüber, und das Schwert ging durch ihn, so fand er den Tod. Da verschwand Odin, und Agnarr war da König lange Zeit.

Thor

Sich nach dem hinterlistigen, finsteren und vielschichtigen Odin dem unkomplizierten und aufrichtigen Thor zuzuwenden ist fast eine Wohltat. Thor ist ein Kämpfer, seine Feinde sind die Feinde der Götter: Riesen, Ungeheuer und Urkräfte. Snorri faßt (in *Gylfaginning*) zusammen:

> Thor ist der vornehmste von ihnen. Er heißt der Asathor oder Ökuthor und ist der stärkste aller Götter und Menschen ... Er hat auch drei Kleinode: den Hammer Mjöllnir, den Hrimthursen und Bergriesen kennen, wenn er geschwungen wird; was nicht zu verwundern ist, denn er hat ihren Vätern und Freunden manchen Kopf damit zerschlagen. Sein anderes Kleinod ist der Kraftgürtel, Megingiardar genannt: wenn er den um sich spannt, so wächst ihm die Asenkraft noch um die Hälfte. Noch ein drittes Ding hat er, in dem großer Wert liegt, das sind seine Eisenhandschuhe: die kann er nicht missen, um den Schaft des Hammers zu fassen. Und niemand ist so klug, daß er all seine Großtaten zu erzählen wüßte.

Zahlreiche Mythen über Thor sind erhalten geblieben. Einige sind in frühen Skaldenliedern überliefert. Dies belegt ihr hohes Alter und verweist vielleicht auf eine Form der praktischen Verehrung des Gottes zu Wikingerzeiten. Es mag in diesem Zusammenhang von Bedeutung sein, daß Thor der einzige Gott ist, der in wikingischen Gedenkinschriften angerufen wird, wo Formulierungen wie »Thor weihe diese Runen« und »Thor weihe diese Monumente« ihn als Schutzgottheit ausweisen. Doch sind die Mythen nicht immer leicht zu deuten und oft nur schwer anders auszulegen denn als schlichte Erzählungen – steht da irgendeine »volkstümliche Vorstellung von Naturphänomenen« dahinter?
Nehmen wir z. B. Thors Begegnung mit dem Riesen Geirröd (nicht zu verwechseln mit dem König Geirrod, den Odin auf die Probe stellte). Gegen Ende der heidnischen Zeit in Skandinavien verfaßte der isländische Dichter Eilif Godrunarson ein Gedicht, das wir heute als *Þórsdrápa*, die »Verse über Thor«, kennen. Es ist erhalten geblieben, weil es in Snorris *Skáldskaparmál* zitiert ist, doch gilt es allgemein als eines der mysteriösesten und schwierigsten Skaldenlieder. Snorri liefert uns mit seiner Geschichte eine Interpretation, aber wer sagt uns, daß sie richtig ist? Und so lautet Snorris Version:
Der ganze Ärger begann wie üblich mit Loki. Eines Tages borgte er sich Friggs Falkengewand aus, das ihm Vogelgestalt verlieh,

und flog damit umher. Er gelangte zu Geirröds Gehöft, ließ sich auf der hohen Halle nieder und blickte neugierig durch die fensterartige Öffnung im Dach hinein. Geirröd gefiel es nicht, daß der Vogel ihn beobachtete, und er befahl einem Diener, das Tier zu fangen. Der Diener begann das steile Dach hinaufzuklettern, und Loki, der sah, wie beschwerlich dies war, beschloß übermütig, den Mann zu ärgern: Er wollte ihn ganz nahe herankommen lassen und ihm dann vor der Nase davonfliegen. Doch daraus wurde nichts. Als er sich nämlich im letzten Augenblick in die Lüfte erheben wollte, stellte er zu seinem Schrecken fest, daß er die Füße nicht vom Dach lösen konnte. Der Diener ergriff ihn und brachte ihn zu Geirröd. Der Riese erkannte an den Augen des Falken, daß der Vogel in Wirklichkeit kein Tier war, und wollte wissen, wer sich hinter der Verkleidung verbarg. Als Loki sich weigerte, ihm die gewünschte Auskunft zu geben, wurde er drei Monate lang ohne Nahrung in eine Kiste gesperrt. Diese wenig freundliche Art der Überredung zeigte Wirkung, denn als Geirröd ihn endlich herausholte, war Loki bereit, seine Identität preiszugeben. Der Riese erbot sich, Loki am Leben zu lassen, wenn dieser als Gegenleistung dafür sorgte, daß Thor ohne seinen mächtigen Hammer und seinen Kraftgürtel in Geirröds Halle komme.

Wie Loki es anstellte, Thor zu überreden, wird nicht berichtet, doch jedenfalls brach der große Gott unbewaffnet und von Loki begleitet nach Riesenheim auf. Unterwegs nahmen sie Herberge im Haus der Riesin Grid. Sie war den Asen wohlgesonnen, warnte Thor vor Geirröds blutrünstigem Wesen und lieh ihm sogar ihren eigenen Kraftgürtel, ihren Zauberstab und ihre Eisenhandschuhe – man konnte ja nie wissen, ob sie einem nicht vielleicht doch gute Dienste erwiesen. Als Thor an den Fluß Wimur gelangte, legte er den Gürtel um, nahm den Stab in die Hand und watete hindurch. Loki hielt sich am Gürtel fest. Sie hatten gerade die Mitte des breiten Flusses erreicht, da schwoll das Wasser plötzlich so stark an, daß es Thor bis an die Schultern reichte. Er blickte sich um und entdeckte Geirröds Tochter Gjalp, die mit gespreizten Beinen auf beiden Felsenufern stand, zwischen denen der Fluß hindurchbrauste. Sie war es, die den Fluß anschwellen ließ. Snorri ist zu vor-

nehm, um zu sagen, wie sie das bewerkstelligte, doch vermutlich urinierte sie in den Fluß (was für eine Volkssage durchaus angemessen klingt, auch wenn einigen Anthropologen und Volkskundlern lieber wäre, sie menstruierte). Thor bemerkte philosophisch: »Bei der Quelle muß man den Strom stauen«, und warf einen großen Stein nach dem Riesenweib. Dann watete er ans Ufer und zog sich an einem Ebereschenstrauch an Land. Deshalb, so Snorri, heißt die Eberesche auch »Thors Rettung«.
Dieser Teil der Geschichte wird durch eine von Snorri zitierte eddische Strophe gestützt, die möglicherweise darauf hinweist, daß ihm ein längeres poetisches Werk zur Verfügung stand, auf dem seine Prosa basiert:

Wachse nicht, Wimur, nun ich waten muß
Hin zu des Joten Hause.
Wisse, wenn du wächsest, wächst mir die Asenkraft
Ebenhoch dem Himmel.

Thor erreichte schließlich Geirröds Gehöft, wo ihm und Loki ein Ziegenhaus als Unterkunft zugewiesen wurde – eine für Gottheiten ihres Ranges wohl kaum angemessene Herberge. In dem Raum befand sich ein einziges Möbelstück, ein Stuhl. Thor nahm darauf Platz. Augenblicklich hob sich der Stuhl mit ihm in die Höhe und drohte, den Gott an der Decke zu zerquetschen. Der Ase stemmte den Stab der Riesin gegen die Dachbalken und drückte sich nach unten. Sogleich hörte man ein lautes Krachen und einen Schrei. Unter dem Stuhl hatten sich nämlich Geirröds Töchter Gjalp und Greip befunden, die versucht hatten, Thor gegen die Decke zu drücken. Er hatte ihnen das Rückgrat gebrochen. Auch hier ist ein Verszitat in Snorris *Edda* eingefügt, das allerdings nur in *einer* Handschrift überliefert ist.

Einstmals übt ich die Asenstärke
In des Joten Hause,
Da Gjalp und Greip, Geirröds Töchter,
Mich zum Himmel hoben.

Dann ließ Geirröd Thor zu sich in die Halle rufen, die von zwei großen Feuern erhellt und erwärmt wurde. Als der Ase den Raum betrat, ergriff der Riese mit einer Zange einen glühenden Eisenklumpen und warf ihn nach Thor. Zum Glück hatte Thor die Eisenhandschuhe angezogen. Er fing das Wurfgeschoß und schleuderte es gegen Geirröd zurück. Mit einem Sprung versuchte der Riese, sich hinter einer ehernen Säule in Sicherheit zu bringen. Doch der Eisenklumpen durchstieß die Säule, drang durch Geirröds Herz, durchbrach die Wand und bohrte sich draußen in die Erde. Damit endet Snorris Geschichte. Der Ausgang des Kampfes wird von einem kuriosen Abschnitt von Saxo Grammaticus' *Gesta Danorum* gestützt. Bei der Schilderung eines abenteuerlichen Feldzugs der Dänen in den Norden Skandinaviens beschreibt Saxo einige der schrecklichen Eindrücke, die sich ihnen boten. Sie kamen in eine Stadt, offenbar ein frühes Beispiel städtischen Verfalls; dort fanden sie eine Halle aus Stein, die es dringend nötig gehabt hätte, gefegt und in Ordnung gebracht zu werden. In dieser Halle sahen die Dänen »einen zertrümmerten Felsbrocken und nicht weit davon auf einem erhöhten Podest gegenüber dem Steinhaufen einen alten Mann mit durchbohrtem Körper.« Der dänische Anführer Thorkell erklärte seinen Leuten, »einst durchbohrte der Gott Thor, wütend über die Unverschämtheit der Riesen, mit glühendem Stahl den feindlichen Geruthus; der Stahl flog weiter, schlug in den Berghang dahinter und zerstörte ihn.« In der Nähe lagen Frauenleichen mit gebrochenem Rückgrat.

Eine seltsame Geschichte fürwahr, ganz nach dem Geschmack des eifrigen Mythologen. Phantasievolle Interpretationen gibt es im Überfluß. Um nur einige Ansätze anzuführen: Handelt es sich dabei um einen Mythos, der sich um eine Initiationsprüfung der Mannhaftigkeit eines jungen Kriegers rankt; um den unbewaffneten Thor, der sich einem Angriff von natürlichen und animalischen Feinden ausgesetzt sieht? Zeigt er göttliche Stärke im Konflikt mit den Naturgewalten? Steht Thor, hier ein junger, männlicher Gott, den Bedrohungen gegenüber, die »die dualen Kräfte exzessiver Bindung an die weiblichen Objekte seiner Primärbindung und die destruktive Rivalität mit dem Vater« darstellen? Vermutlich gilt, in Abwandlung einer biblischen Warnung, auch hier: Es nimmt kein Ende mit dem vielen Interpretieren, und viel Studieren ermüdet den Leib.

Andere überlieferte Geschichten erzählen von Thors unablässigem Kampf mit den Riesen, so z. B. von seinem Duell mit Hrungnir. In *Lokasenna* werden die Vorkommnisse als bekannt vorausgesetzt. Gegen Ende von »Lokis Zankreden« wird Loki dermaßen unverschämt, daß Thor kommt, um ihn zum Schweigen zu bringen. Lokis hämische Begrüßung und Bemerkungen beantwortet er mit Drohungen:

Schweig, unreiner Wicht, sonst soll mein Hammer,
Mjöllnir, den Mund dir schließen.
Mit Hrungnirs Töter trifft diese Hand dich
Und bricht dir alle Gebeine. (61)

Als Loki noch immer nicht schweigt, droht er erneut:

Hrungnirs Töter schickt dich zu Hel hinab
Hinter der Toten Tor. (63)

Auch in Skaldendichtungen finden sich Hinweise auf die Vernichtung Hrungnirs durch Thor, doch wiederum ist es Snorri, dem wir die ausführlichste Fassung der Geschichte verdanken.

Hrungnir war ein häßlicher Riese, dessen Kopf und Herz ebenso aus Stein waren wie sein ungeheuer dicker Schild. Seine Waffe, einen riesigen Wetzstein, pflegte er auf der Schulter zu tragen. Als Odin in Riesenheim zu Besuch war, geriet Hrungnir mit dem Asen über die Frage in Streit, wer das bessere Pferd besitze. Odin preschte auf seinem Sleipnir davon, Hrungnir bestieg wutentbrannt sein Pferd Goldmähne und verfolgte den Gott in so schnellem Galopp, daß er nicht rechtzeitig anzuhalten vermochte, als sie Asgard erreichten, und das Tor durchbrechend in den Hof stürmte.

Die Götter luden ihn höflich zu einem Gelage ein. Hrungnir trank reichlich, und in seiner Trunkenheit begann er schließlich damit zu

prahlen, wie er die Götter vernichten und die Göttinnen entführen würde. Die Asen riefen nach Thor, der sich auf einer seiner Ostreisen befand. Kurz darauf stürmte er in die Halle und fragte aufgebracht, wer diesem Feind zu trinken gegeben habe. Hrungnir berief sich auf Odins Schutz, da dieser ihn eingeladen habe, erklärte sich jedoch zum Zweikampf mit Thor auf neutralem Boden an der Grenze ihrer beiden Reiche bereit.
Hrungnir kehrte auf sein Anwesen zurück, um seinen Schild und seinen Wetzstein zu holen. Die anderen Riesen sahen dem Ausgang des Zweikampfes mit Unbehagen entgegen, war eine Niederlage Hrungnirs doch nicht völlig auszuschließen. Deshalb fertigten sie eine riesige Lehmfigur an, die einen Krieger darstellen sollte (allein ein Stutenherz erwies sich als groß genug für die Figur, doch es erbebte, als Thor heranstürmte). Mit dem furchtsamen Lehmriesen als Sekundanten, der dann beim Anblick des Asen vor Angst Wasser ließ, erwartete Hrungnir den Gott. Thors Sekundant war sein Diener Thjalfi, der als der schnellste Läufer galt und als erster am Austragungsort des Duells ankam. Er behauptete Hrungnir gegenüber, Thor nähere sich ihm unterirdisch und würde ihn von unten angreifen. Daraufhin stellte sich der verunsicherte Riese auf seinen Schild und umklammerte seinen Wetzstein zum Wurf.
Thor kam in seinem üblichen »Asenzorn« herangebraust und schleuderte schon von weitem seinen Hammer gegen Hrungnir. Der Riese seinerseits warf seinen Wetzstein gegen seinen Gegner. Die beiden Wurfgeschosse prallten in der Luft aufeinander, der Wetzstein zersplitterte in unzählige Stücke, von denen der größte Teil auf die Erde fiel. Aus ihnen entstanden alle Wetzsteinberge auf der Welt. Ein anderer Brocken bohrte sich indes in Thors Stirn und riß ihn zu Boden. Mjöllnir, der Hammer, war bei dem Zusammenprall unversehrt geblieben, erreichte sein Ziel und zertrümmerte Hrungnirs Schädel, so daß der Riese tot niederfiel. Dabei stürzte er so unglücklich über Thor, daß dieser unter eines der Riesenbeine zu liegen kam. Unterdessen setzte Thjalfi dem Lehmriesen hart zu, der schon nach kurzem Kampf ruhmlos fiel.
Hrungnirs Bein lastete so schwer auf Thor, daß dieser sich nicht

rühren konnte. Weder Thjalfi noch die herbeigeeilten Asen vermochten den Gott aus seiner mißlichen Lage zu befreien. Allein Thors dreijährigem Sohn Magni (den der Ase mit der Riesin Jarnsaxa gezeugt hatte) gelang es mühelos, das Bein des toten Riesen hochzuheben. Thor stellte anerkennend fest, sein Sohn werde wohl ein tüchtiger Mann werden.
Thor kehrte nach Hause zurück, doch der Wetzstein steckte noch immer in seiner Stirn. Die Götter riefen eine Seherin namens Groa zu Hilfe. Groa war die Frau Oerwandlis des Kecken, der einige Zeit zuvor von den Riesen gefangengenommen worden war. Sie sang ihre Zauberlieder, und schon bald lockerte sich der Steinsplitter. Zur Belohnung für ihre guten Dienste wollte der Gott ihr einen Gefallen erweisen, und so erzählte er ihr, daß er ihren Mann in einem Korb auf dem Rücken durch den kalten Strom Eliwagar getragen und so aus Riesenheim herausgeholt habe. Eine von Oerwandlis Zehen habe aus dem Korb herausgeragt und sei erfroren. Er habe sie abgebrochen, an den Himmel geworfen und daraus einen Stern gemacht, der seinen Namen trage. Außerdem eröffnete er ihr, daß ihr Mann bald nach Hause zurückkehren werde. Darüber war Groa so erfreut, daß sie ihre Zauberlieder vergaß und der Wetzstein in Thors Stirn blieb. Deshalb darf man auch keine Wetzsteine im Haus umherwerfen, da sich sonst der Splitter in Thors Kopf bewegt. Aus diesem Mythos leiten sich Kenningar wie »Blatt von Hrungnirs Sohle« für »Schild« und »Spalter von Hrungnirs Schädel« für »Thor« her.

Thor wird in Anspielung auf seine Kämpfe mit dem riesigen Ungeheuer Jörmungand, das in den Tiefen des Ozeans lauert, auch als »der Midgardschlange Gegner« bezeichnet. Illustrationen dieses Ereignisses sind auf Steinmetzarbeiten aus der Wikingerzeit zu finden. Wir kennen die Geschichte ziemlich ausführlich aus dem Eddalied *Hymiskviða*, das dieses Abenteuer indes nur als einen Ausschnitt aus dem fortgesetzten Kräftemessen zwischen dem furchteinflößenden Riesen Hymir und dem Gott Thor darstellt. Dieser suchte Hymir eines Tages auf, um dessen großen Braukessel zu holen, denn die Götter benötigten für ein großes Festgelage mehr Bier als sonst. Snorri, dem anderes Quellenmaterial zur Verfügung stand, erzählt die Geschichte wirkungsvoller und eleganter. Er nennt keinen Grund für Thors Besuch bei dem Riesen, sondern stellt nur fest, daß sich der Gott in Gestalt eines jungen Mannes auf Reisen befand und bei ihm Nachtquartier nahm.

Am nächsten Morgen wollte Hymir zum Fischen hinausrudern. Thor erbot sich, ihn zu begleiten, doch der Riese lehnte mit der Begründung ab, Thor sei zu jung und schwächlich, und es könnte ihm auf dem offenen Meer kalt werden. Der Ase wurde wütend und bestand darauf, mitzukommen. Der Riese willigte ein, verlangte aber, daß Thor sich selbst einen Köder beschaffe. Thor ging zu Hymirs Ochsenherde, wählte das größte Tier aus und riß ihm den Kopf ab. Damit kehrte er zum Ruderboot zurück, das Hymir inzwischen ins Wasser gezogen hatte. Die beiden ruderten mit kräftigen Schlägen und gelangten bald zu den Fischgründen, wo Hymir Plattfische zu fangen pflegte. Thor wollte jedoch weiter aufs offene Meer hinaus und ruderte weiter. Bald schon forderte Hymir ihn auf innezuhalten, denn er fürchtete, sie könnten der Midgardschlange begegnen. Zu Hymirs Bestürzung zeigte Thor kein Einsehen.

Erst nach einer ganzen Weile zog er das Ruder ein, nahm eine starke Schnur und einen gewaltigen Angelhaken heraus, befestigte den Ochsenkopf daran und warf ihn über Bord. Die Midgardschlange schnappte nach dem Köder, und der Haken blieb ihr im Gaumen stecken. Da versuchte sich das Untier mit einem plötzlichen Ruck zu befreien, und Thors Hände schlugen auf dem Bootsrand auf. Darüber geriet der Gott in Rage. Mit seiner »Asenkraft« zog er an der Fangleine und stemmte sich dabei so gewaltig gegen die Bordwand, daß er sie durchbrach und mit den Füßen den Meeresgrund berührte. Er zog die Schlange bis zum Bootsrand herauf. Die beiden starrten einander mit bohrenden Blicken an, die Schlange spie Gift. Thor schwang bereits den Hammer, um ihr einen tödlichen Schlag zu versetzen, da kappte Hymir in seiner Angst die Leine, und das Untier entkam. Thor warf der Schlange den Hammer nach, und, so erklärt Snorri bzw. »der Hohe«, »die Leute sagen, er habe ihr im Meeresgrund das

Detail des Runensteines von Gosforth, das Thor beim Fang der Midgardschlange Jörmungand zeigt. Diese war so stark, daß er mit dem Fuß den Boden des Bootes durchstieß, als sie am Angelhaken zerrte. Bei der zweiten Figur könnte es sich um den Riesen Hymir handeln

Haupt abgeschlagen; doch mich dünkt, die Wahrheit ist, daß die Midgardschlange noch lebt und in der See liegt.« Thor war so wütend auf Hymir, daß er ihn über Bord warf und allein an Land watete.

Die Thor-Mythen, die ich hier wiedergegeben habe, weisen, trotz aller Unterschiede im Detail, ein gemeinsames Thema auf: Thors Kampf gegen Unholde, die als Feinde der Götter und wohl auch der Menschen gelten können. Es existieren noch mehr Mythen dieser Art sowie Anspielungen in Skalden-Kenningar auf Mythen, die nicht erhalten sind. Ferner gibt es die Erzählungen, die berichten, wie Thor, der sich auf Fahrten außerhalb Asgards befand, gerade rechtzeitig zurückkehrte, um die Götter vor Ärger zu bewahren, wie etwa im Fall des Riesenbaumeisters, der den Schutzwall um Asgard errichtete.

Thor wurde zu Wikingerzeiten ganz besonders verehrt. Im Tempel zu Uppsala gab es, so berichtet Adam von Bremen in seiner *Hamburgischen Kirchengeschichte*, drei Bildnisse, die als Thor, Odin und Frey identifiziert werden können. Als der mächtigste der Götter hatte Thor »in der Mitte des Raumes seinen Thronsitz«: Er »herrscht in der Luft; er gebietet Donner und Blitzen, Wind und Regen, Sonnenschein und Frucht.« Drohen Krankheit oder Hungersnot, werden Thor Opfer dargebracht. Das ist zwar keineswegs der Thor, den wir aus norwegischen oder isländischen Mythen kennen, doch wäre es eine Erklärung für seine Popularität in Gemeinschaften, die von Ackerbau oder Fischfang leben. Thor ist der einzige Gott, dessen Name zu Wikingerzeiten Bestandteil von Personennamen bildete, und zwar sowohl männlichen (*Thorsteinn*, *Thorfinnr*) als auch weiblichen (*Thorgerðr*, *Thorgunnr*). Die späteren isländischen Sagas berichten von Leuten, die Thor als ihren persönlichen Gott verehrten. Einer von ihnen ist Thorolf von der Insel Mostr in Westnorwegen. Er »war der Hüter des Thor-Tempels auf der Insel und ein enger Freund Thors und wurde deshalb Thorolf genannt.« Während einer politischen Krise »hielt er ein großes Opferfest ab und fragte seinen geliebten Freund Thor, ob er sich mit dem König einigen oder das Land verlassen und irgendwo anders ein neues Leben aufbauen sollte; und die Rücksprache mit dem Gott führte Thorolf nach Island.« Als er sich mit seinem Schiff dem Land näherte, warf er die Holzpfosten über Bord, die den Hochsitz im heimatlichen Tempel getragen hatten. »Auf einem der Pfosten war Thors Bildnis eingeschnitzt. Thorolf beschloß, sich dort niederzulassen, wo Thor an Land ginge.« Die Siedler folgten den dahintreibenden Pfosten, die schließlich an einer Landspitze im Westen Islands an Land gespült wurden. »Diese«, so erzählt die Saga, »wird seitdem Thorsnes genannt«. Und so heißt sie auch heute noch.

Balder und Loki

Ein bekannter nordischer Mythos rankt sich um zwei Götter, die sich in ihrem Wesen stark von den bisher vorgestellten unterscheiden: Balder und Loki. Balders Name kommt in der nordischen Mythologie zwar häufig vor, doch weiß man wenig über diesen Asen. Laut Snorri ist er Odins Sohn, der beste der Götter, von heller Hautfarbe und schönem Antlitz, weise, beredt und voller Anmut. Dennoch ist er recht glücklos. Sein Sohn Forseti ist zum Gott des Rechts erhoben worden, als Tyr nach dem Verlust seiner Schwurhand dieses Amt aufgeben mußte, und schlichtet in dem großen Gerichtssaal Glitnir alle Streitigkeiten, die ihm vorgetragen werden. Doch was den Vater betrifft, so räumt Snorri ein, daß keiner seiner Entscheidungen Bestand beschieden ist. Balder muß in gewisser Weise auch ein Kämpfer gewesen sein, denn sein Name taucht in Kenningar für »Krieger« auf.

Loki sind wir bereits begegnet. Er ist eine äußerst vielschichtige Gestalt, teils Gott, teils Dämon. In *Þrymskviða* wird er als wagemutig, einfallsreich, schlagfertig und treuer Gefährte Thors dargestellt, wobei er allerdings jenen mächtigen Gott ein wenig als komische Figur erscheinen läßt. In der Geschichte vom Riesenbaumeister, der Asgard mit einem Schutzwall befestigte, wird er als verschlagen und nicht immer weise in seinem Urteil vorgeführt. Durch seinen Mangel an Voraussicht bringt er die Götter in Schwierigkeiten. Im Mythos von Iduns Äpfeln verrät er die Asen. Erst nachdem die Götter ihn mit Folter und Tod bedroht haben, bemüht er sich, den angerichteten Schaden wiedergutzumachen, und erobert sich mit der erfolgreichen Aktion seinen Platz unter den Göttern zurück. Am Weltenende wird er einer der Führer der feindlichen Streitmacht sein, die den Untergang der Götter herbeiführt. Mit besonderer Feindschaft begegnet er dem Gott Heimdall. Snorri faßt die widersprüchlichen Seiten seines Charakters zusammen:

> Noch zählt man einen zu den Asen, den einige den Verlästerer der Götter, den Anstifter allen Betrugs und die Schande der Götter und Menschen nennen. Sein Name ist Loki oder Loptr, und sein Vater der Riese Farbauti [...]. Loki ist schmuck und schön von Gestalt, aber böse von Gemüt und sehr unbeständig. Er übertrifft alle anderen in Schlauheit und jeder Art von Betrug. Er brachte die Asen in manche Verlegenheit; doch half er ihnen oft auch durch seine Klugheit wieder heraus.

Danach listet Snorri Lokis uneheliche Kinder auf, die ihm eine Riesin namens Angrboda gebar. Schon ihr Name verheißt nichts Gutes, bedeutet er doch »die Kummer Verkündende«. Eine Aufzählung ihrer Nachkommenschaft erklärt dies, denn dabei handelt es sich um den Fenriswolf, die Midgardschlange Jörmungand und Hel, die Herrin des Totenreichs. »Als aber die Götter erfuhren, daß diese drei Geschwister in Jötunheim erzogen würden, und durch Weissagung erkannten, daß ihnen von diesen Geschwistern Verrat und großes Unheil bevorstehe, indem sie Böses von Mutter, aber noch Schlimmeres von Vaters wegen von ihnen erwarten zu müssen glaubten«, ließ Odin die drei nach Asgard holen. Jörmungand versenkte er in die Tiefen des Ozeans, wo sie seitdem ganz Midgard, die Menschenwelt, wie ein Band umschließt. Hel verbannte er in die Unterwelt, um dort all jene in Empfang zu nehmen, die an Krankheit und Alter gestorben sind. (Die im Kampf Gefallenen holte Odin ja zu sich nach Walhall.) Was mit Fenrir geschah, haben wir bereits gesehen (S. 28f.).
Die komplexe Gestalt des Loki hat das Interesse vieler Wissenschaftler auf sich gezogen, von denen sich einige mit Scharfblick über ihn geäußert haben. Der vielleicht wichtigste Beitrag der jüngeren Zeit ist die Abhandlung von Georges Dumézil, der in

dem Gott/Dämon ein Spiegelbild von Syrdon, einer in einer Reihe von kaukasischen Sagen auftauchenden dämonischen Gestalt, sieht und einen gemeinsamen Ursprung für beide geltend macht. Sollte dies zutreffen, reichten die Wurzeln der Vorstellung vom grundsätzlichen Konflikt zwischen Loki und den großen Göttern in sehr frühe Zeit zurück.

Balder

Das relativ späte Lied *Baldrs draumar*, »Balders Träume«, das zwar nicht im *Codex Regius*, wohl aber in einer kürzeren Liederhandschrift (MS AM 747 4°) enthalten ist, eignet sich gut zum Einstieg in den Balder-Mythos. Es handelt sich dabei um ein Frage-und-Antwort-Gedicht, das, wie die meisten Gedichte dieser Art, mit einer kurzen Einführung beginnt:

> Die Asen eilten   all zur Versammlung
> Und die Asinnen   all zum Gespräch;
> Darüber berieten   die himmlischen Richter,
> Warum böse Träume   Balder schreckten? (1)

Odin beschließt zu handeln, sattelt sein Pferd, reitet in das Totenreich, weckt eine tote Seherin und verlangt von ihr Auskunft. Sie gibt sie ihm nur widerstrebend und beendet jede ihrer Prophezeiungen mit der bitteren Bemerkung: »Genötigt sprach ich, nun will ich schweigen.« Doch Odin ist mächtiger als sie. Jede seiner Fragen leitet er mit der Aufforderung ein:

> Schweig nicht, Wölva,   ich will dich fragen,
> Bis alles ich weiß ...

und entlockt ihr damit stets aufs neue die gewünschten Auskünfte: Wem gelten die eifrigen Vorbereitungen im Totenreich? Antwort: Balder wird erwartet. Für ihn wird Met gebraut. Wie wird Balder sterben? Höd wird ihn ermorden, wird Odins Sohn das Leben nehmen. Wer wird diese Tat rächen?

Rind im Westen gewinnt den Sohn,
Der einnächtig, Odins Erbe, zum Kampf geht.
Er wäscht die Hand nicht, er kämmt das Haar nicht,
Bis er zum Bühle bringt Balders Mörder. (11)

Eine Strophe aus *Lokasenna* macht indes deutlich, daß Loki der eigentliche Verantwortliche für das Verbrechen ist. Gegenüber Odins Gemahlin und Balders Mutter Frigg brüstet er sich:

Und willst du, Frigg, daß ich ferner gedenke
Meiner Meintaten,
So bin ich schuld, daß du nicht mehr schauen wirst
Balder reiten zum Rat der Götter. (28)

Loki war der *ráðbani* gewesen, der Anstifter des Mordes, der unschuldige Höd lediglich der *handbani*, der Ausführende.
Auf Hinweisen wie diesen baut Snorri seine Geschichte von Verrat und Bosheit auf. Sie zeigt Lokis unbegründete Bösartigkeit, seinen Neid auf Balder. Der Gott des Lichtes hat unheilvolle Träume, die seinen Tod voraussagen. Im Auftrag der Götter ergreift Frigg Maßnahmen, um das drohende Verhängnis abzuwehren. Sie läßt sich von allen belebten Wesen und unbelebten Dingen schwören, daß sie Balder nichts antun würden – von »Feuer und Wasser, Eisen und allen Erzen, Steinen und Erden, von Bäumen, Krankheiten und Giften, dazu von allen vierfüßigen Tieren, Vögeln und Würmern.« Und alle legen den Eid ab. Daraufhin wird Balder der Mittelpunkt göttlichen Zeitvertreibs: Da er unverwundbar ist, stellen sich die Götter um ihn herum auf und benützen ihn für Zielübungen. Mit Pfeilen oder Speeren, Schwertern, Äxten oder Steinen greifen sie ihn an, aber nichts kann ihm etwas anhaben. Loki sinnt indessen auf Unheil. Als alte Frau verkleidet, sucht er Frigg auf und fragt sie, weshalb Balder unverwundbar ist. Sie erzählt ihm von den Eiden. Er will wissen, ob es nicht doch etwas gebe, das den Schwur nicht abgelegt habe. Frigg weiht ihn in das entscheidende Geheimnis ein: »Westlich von Walhall wächst eine Staude, Mistiltein genannt, die schien mir zu jung, sie in Eid zu

nehmen.« Loki begibt sich zu der Staude, reißt den Mistelzweig aus und kehrt damit zu dem Versammlungsplatz zurück, wo die Götter ihre spielerischen Zielübungen veranstalten. Der blinde Gott Höd steht etwas abseits. »Warum schießt du nicht nach Balder?« fragt Loki ihn. »Weil ich nicht sehe, wo Balder steht; zum andern hab ich auch keine Waffe«, lautet die Antwort des Blinden. Loki stachelt Höd an, einen Versuch zu unternehmen; es sei doch ehrenvoll, Balders Unverwundbarkeit unter Beweis zu stellen. »Ich will dich dahin weisen, wo er steht: so schieße nach ihm mit diesem Reis.« Höd nimmt den Mistelzweig, schießt ihn nach Lokis Anweisungen ab, und Balder fällt tot zu Boden.

Bestürzung und Kummer ergreift die Götter. Das Spiel hat auf ihrem Versammlungsplatz stattgefunden. Da dies ein heiliger Ort ist, dürfen sie sich dort nicht an Balders Mörder rächen, obgleich alle wissen, wer das Verbrechen begangen hat. Schluchzen erstickt ihre Stimmen. Schließlich unterbreitet Frigg einen praktischen Vorschlag: Jemand solle ins Totenreich hinabreiten, Balder dort aufspüren und herausfinden, ob Hel ihn gegen die Zahlung eines Lösegeldes nach Asgard zurückkehren lasse. Der schnelle Hermod, gleichfalls ein Sohn Odins, erklärt sich bereit, diese gefährliche Reise zu wagen, zu der ihm Odin sein Pferd Sleipnir leiht. Unterdessen bereiten die Götter Balders Leichnam für den Scheiterhaufen vor.

Dieser soll auf Balders Schiff Hringhorni errichtet werden. Es war an Land gezogen worden, und so sehr sich die Götter auch bemühen – es gelingt ihnen nicht, das größte aller Schiffe auch nur eine Handbreit zu bewegen. Sie lassen die Riesin Hyrrokkin holen, die es mit einem einzigen gewaltigen Ruck so schnell ins Wasser befördert, daß von den Walzen Funken stieben und die ganze Erde bebt. Nun wird Balders Leichnam an Bord getragen. Als seine Witwe Nanna dies sieht, stirbt sie vor Kummer und wird neben ihren Gatten auf den Holzstoß gelegt, der dann in Brand gesteckt wird. Thor stößt einen Zwerg, der ihm gerade vor den Füßen herumläuft, als Glücksbringer ins Feuer. Auch Schätze werden mitverbrannt, unter anderem der goldene Zauberring Draupnir.

Währenddessen reitet Hermod auf dem langen, dunklen Pfad zum Fluß Gjöll, der diese Welt von der nächsten trennt. Er galoppiert über die Gjöll-Brücke, die unter den Hufen Sleipnirs widerhallt, als ritten fünf Legionen von Toten darüber hinweg. Vor dem Gittertor, das den – für Lebende unüberwindbaren – Eingang zum Totenreich bildet, gibt er dem Pferd die Sporen und setzt über das Hindernis hinweg. In der großen Halle dahinter findet er Balder. Er bleibt die Nacht über bei seinem Bruder. Am nächsten Morgen schildert er der Hel, wie beliebt Balder bei allen sei, und bittet sie, ihn zurückkehren zu lassen. Doch Hel ist skeptisch: »Wenn alle Dinge in der Welt, lebendige sowohl als tote, ihn beweinen, so soll er zurück zu den Asen fahren; aber bei Hel bleiben, wenn eins widerspricht und nicht weinen will.«

Hermod reitet mit dieser Botschaft zurück. Sogleich senden die Götter Boten aus mit der Bitte, alle sollten um Balder weinen und damit seine Rückkehr aus dem Totenreich ermöglichen. Alles und jeder kommt der Bitte nach: »Menschen und Tiere, Erde, Steine, Bäume und alle Erze«. Auf ihrem Rückweg nach Asgard stoßen die Abgesandten in einer Höhle auf eine Riesin, die sich Thökk nennt. Sie fordern sie auf, Balder aus der Hel zurückzuweinen. Die Riesin antwortet mit folgendem Vers:

> Thökk muß weinen   mit trocknen Augen
> Über Balders Ende.
> Nicht im Leben noch im Tod   hatt ich Nutzen von ihm:
> Behalte Hel, was sie hat.

Snorri fügt hinzu: »Man meint, daß dies Loki, Laufeyjas Sohn, gewesen sei, der den Asen so viel Leid zugefügt hatte.«

Der Mythos ist leicht zu erkennen. Zwar weist diese Version ihre besonderen nordischen Züge auf, doch findet sich das Thema in zahlreichen Mythologien. Der Mythos vom »sterbenden Gott«, der auch ein auferstandener Gott sein kann, steht natürlich im Mittelpunkt christlicher Erfahrung. Er findet sich z. B. auch in der Osiris-Legende des alten Ägypten, in der Sage von Adonis aus dem Nahen Osten und, in mehr heroischer denn mythologischer

Form, in der finnischen Geschichte von Lemminkainen. Ob es sich dabei um einen Archetypus handelt oder ob der Mythos einer Zivilisation den einer anderen beeinflußt, ist umstritten.

Snorris Geschichte ist damit noch nicht zu Ende. Auch wenn es den Göttern nicht vergönnt war, Balders Mörder zu vernichten, so konnten sie ihn doch bestrafen. Tatsächlich waren die Götter so wütend auf Loki, daß er in die Berge floh und dort Zuflucht in einem Haus suchte, das in jeder Wand eine Tür hatte: so konnte er in alle Himmelsrichtungen spähen. Oft verwandelte er sich in einen Lachs und verbarg sich in einem nahegelegenen Wasserfall. Immer wieder überlegte er, welche List die Asen sich wohl einfallen lassen würden, um seiner habhaft zu werden. Eines Tages kam er auf die Idee, daß man mit einem Netz Fische fangen könnte, und fertigte aus Leinengarn eines an, um zu sehen, ob es funktionierte. Seitdem werden Netze so hergestellt.

Odin hatte Loki von seinem Hochsitz Hlidskjalf aus entdeckt, und sogleich machten sich die Asen auf den Weg zu seinem Unterschlupf. Loki hatte gerade das Fischernetz vollendet, als er durch eine der Türen hindurch die Götter kommen sah. Rasch warf er das Netz ins Feuer und flüchtete zum Wasserfall. Das Netz ging zwar in Flammen auf, doch zeichnete sich sein Muster deutlich in der Asche ab. Der weise Kwasir erkannte sofort seinen Zweck; die Asen knüpften ein ähnliches Netz und begaben sich dann zum Wasserfall, wo sie Loki vermuteten. Sie suchten den Fluß mit dem Netz ab, doch zweimal entwischte Loki ihnen, indem er sich auf dem Grund zwischen Steinen verbarg oder das Netz übersprang. Das dritte Mal lag Thor auf der Lauer, und als Loki das Netz überspringen wollte, packte ihn der Ase. Dann trafen die Götter Vorkehrungen, daß Loki ihnen nicht mehr entkommen konnte.

Sie fesselten ihn an drei große Felsstücke, in die sie jeweils ein Loch gehauen hatten und die sie senkrecht aufstellten. Eines banden sie unter seinen Schultern, eines unter seinen Lenden, das dritte unter den Kniegelenken fest. Um zu verhindern, daß er es sich vielleicht trotz alledem bequem mache, befestigten sie eine Giftschlange über ihm, deren Gift seitdem ohne Unterlaß auf ihn herabtropft. Seine treue Gemahlin bemüht sich, seine Qualen zu lindern, indem sie die Gifttropfen in einer Schale auffängt. Doch jedesmal, wenn das Gefäß voll ist, muß sie forteilen, um es auszugießen, und in der Zwischenzeit tropft dem gefesselten Loki das Gift aufs Antlitz. Dabei zuckt er jedesmal so heftig zusammen, daß die Erde bebt. Doch noch immer liegt Loki in sicheren Banden, bis es ihm bestimmt ist, zu entkommen und das Ende dieser Welt herbeizuführen.

Das ist die Geschichte des Asen Balder, wie sie in norwegisch/isländischen Schriften erzählt oder angedeutet ist. Weiter im Osten, in Dänemark, gab es eine andere, weitaus weniger pittoreske Überlieferung. Saxo Grammaticus hielt sie in seinen *Gesta Danorum* fest. Er sah sich selbst als Geschichtsschreiber, nicht als Mythensammler. Deshalb berichtet er von Königen (oder bestenfalls von Halbgöttern und anderen übernatürlichen Wesen) und nicht von Göttern. Seine Geschichte spielt in Dänemark vor der Zeit Hamlets, wo Hotherus und Balderus um den Thron und die Gunst der lieblichen Prinzessin Nanna, der Tochter von Hotherus' Pflegevater Gewarus, wetteiferten. Hotherus war ein normaler Sterblicher, wenn auch ein sehr talentierter, ein begabter Athlet und Musiker. Balderus' Abstammung war schillernder. Er war der Sohn eines gewissen Othinus von Uppsala, dem, so stellt Saxo vernichtend fest, »damals von ganz Europa der unberechtigte Anspruch auf Göttlichkeit zugebilligt wurde«. Von daher war Balderus ein *semideus*, ein »Halbgott«. Hotherus war Nannas auserwählter Liebhaber, doch Balderus verliebte sich in sie, als er sie beim Baden sah, wie mancher brave Mann vor und nach ihm.

Damit stehen die Zeichen zwischen Hotherus und Balderus auf Kampf – auf Kampf um den Besitz Nannas und die Herrschaft über Königreiche in Schweden und Dänemark. Balderus ist zwar göttlicher Abstammung, doch dafür wird Hotherus bei mehreren Gelegenheiten die Hilfe einer Gruppe, oder möglicherweise auch verschiedener Gruppen, übernatürlicher Frauen (*silvestres virgines*, *nymphae*, »Waldnymphen«) zuteil, die über Sieg und Niederlage gebieten und nützliche taktische Ratschläge erteilen. Von ihnen erhält er einen Panzer, der ihm im Krieg gute Dienste leisten wird.

Figuren auf dem Kreuz von Gosforth.
Die beiden untersten stellen möglicherweise
Loki und seine Frau Sigyn dar.
Loki ist gefesselt, und Sigyn schützt ihn
vor dem Gift, das auf ihn herabtropft – als
Rache der Götter für Balders Tod

Balderus war mit Eisen nicht zu verwunden, weshalb Hotherus ein besonderes Schwert brauchte, um seinem Gegner beizukommen. Dieses raubte er einem übernatürlichen Wesen, einem *satyrus* namens Mimingus, der in einer von Eiswüsten umgebenen Höhle hauste. Er brachte sich auch in den Besitz eines Armreifs, der die Macht hatte, den Wohlstand seines Besitzers zu mehren. Derart gewappnet, begab sich Hotherus auf Abenteuerfahrt. Unterdessen hatte sich Balderus Nanna genähert, sie um ihre Hand gebeten und die Antwort erhalten, daß es sich für sie als Sterbliche nicht zieme, sich mit einem Gott zu verbinden. Ihre Weigerung stürzte Balderus in unendlichen Liebeskummer.

Über Balderus' Zudringlichkeit empört, sammelte Hotherus eine Flotte um sich, griff Balderus an und schlug ihn, und das, obwohl Balderus die Unterstützung Othinus', Thors und anderer Götter genoß. Balderus flüchtete, Hotherus heiratete Nanna. Doch sein Gegner gab sich noch nicht geschlagen. Balderus kehrte zurück und besiegte Hotherus in einer Reihe von Schlachten. Betrübt durchstreifte Hotherus die Wälder, wo er erneut auf die Waldnymphen traf. Er beschwerte sich darüber, daß sie ihm nicht zum Sieg verholfen hatten. Sie empfahlen ihm, gelassen zu bleiben, fügten aber den nützlicheren Ratschlag hinzu, er solle die übernatürliche Nahrung stehlen, die Balderus seine besondere Stärke verlieh. Durch diese Worte ermutigt, griff Hotherus Balderus erneut an. Nach einem Tag ergebnislosen Kampfes, der gleichwohl riesige Verluste gefordert hatte, durchsuchte Hotherus das feindliche Lager, spürte die drei Nymphen auf, die Balderus' Nahrung bewachten, überlistete sie mit einer Verkleidung und konnte (offenbar, denn hier scheint ein Stück des Textes zu fehlen) davon probieren. Es gelang ihm auch, einen Gürtel an sich zu bringen, der seinem Besitzer den Sieg sicherte.

Auf dem Rückweg traf er zufällig auf Balderus, den er mit seinem Zauberschwert schwer verwundete. Tapfer führte Balderus die Schlacht am nächsten Tag von seiner Trage aus fort, doch seine Verwundung war zu schwer: Sein Zustand verschlechterte sich, und binnen drei Tagen war er tot. Viele Jahre später wurde Balderus gerächt: Bous, ein Sohn von Othinus und Rinda, der Tochter des ruthenischen Königs, traf mit Hotherus auf dem Schlachtfeld zusammen und tötete ihn.

Obwohl diese beiden Versionen des Balder-Mythos recht verschieden sind, weisen sie doch auch Ähnlichkeiten auf, die von einem gemeinsamen Original herrühren müssen. Sowohl bei Snorri als auch bei Saxo finden sich: die Namen Balder/Balderus, Höd (*Hǫðr*) / Hotherus, Nanna; Balders Unverwundbarkeit, die nur mit einer einzigen, ganz besonderen Waffe zu durchbrechen ist; Balders Ermordung durch Höd; der Zauberring Draupnir; zwar nicht bei Snorri, wohl aber in anderen westnordischen Quellen wird, wie bei Saxo, der Name Rind/Rinda als der Name der Mutter von Balders Rächer genannt und Balder als angesehener Kämpfer geschildert. Doch sind die Abweichungen zwischen den beiden Überlieferungen gewaltig. Bei Saxo finden wir Nanna mit Hotherus verheiratet, nicht mit Balderus. Balderus ist der Angreifer und nicht das liebenswürdige und unschuldige Opfer. Der Rächer heißt Bous, nicht Wali (obgleich ich, um die Sache zu verkomplizieren, einräumen muß, daß der Vers aus *Baldrs draumar*, der diese Information enthält, einer Textkorrektur bedarf). Doch der Hauptunterschied zwischen den beiden Fassungen besteht darin, daß bei Saxo kein Raum ist für Lokis niederträchtiges Eingreifen.

Loki

In der nordischen Version spielt Loki eine wahrhaft diabolische Rolle. Er tritt als der Feind der Götter auf, motiviert allein durch das Verlangen, zu zerstören. Die gleiche Rolle spielt er auch in der Schlacht, die das Ende dieser Welt herbeiführt. Natürlich bestehen Ähnlichkeiten mit der Teufelsgestalt der christlichen Mythologie, und diese mag die spätnordische Sichtweise beeinflußt haben. In der Geschichte von der Entführung der Göttin Idun treibt Loki ebenfalls ein schändliches Spiel, zu dem er sich allerdings durch die Notlage, in der er sich selbst befindet, gezwungen sieht. Dann wieder sind seine Handlungen eher schelmisch als diabolisch. Er stellt eine Menge Unfug an, der jedoch zuweilen ernste Folgen haben kann.

Als eine der zahlreichen Kenningar für Gold führt Snorri in *Skáldskaparmál* »Sifs Haar« an und erzählt uns auch die Geschichte, die sich dahinter verbirgt. Eines Tages schnitt Loki Sif alle Haare ab. Er tat es *til lævísi*, was ich mit »aus reinem Vandalismus« übersetzen würde. Sifs Gatte Thor geriet in entsetzliche Wut und war drauf und dran, Loki sämtliche Knochen zu brechen. Da versprach jener rasch, zu den Zwergen zu gehen, die als äußerst kunstfertige Handwerker bekannt waren und für Sif eine neue Haartracht aus Gold herstellen würden. Diese würde wachsen wie echtes Haar. Thor willigte ein, und Loki begab sich zu Iwaldis Söhnen, die nicht nur das Haar anfertigten, sondern auch noch das Schiff Skidbladnir und den Speer Gungnir. Loki war von den kunstvollen Stücken, die über einzigartige Eigenschaften verfügten, so beeindruckt, daß er sich mit einem Zwerg namens Brokk, dem er auf dem Heimweg nach Asgard begegnete, voreilig auf eine Wette einließ. Er verwettete seinen Kopf darauf, daß Brokks Bruder Sindri, ebenfalls ein hervorragender Kunstschmied, nicht drei ebenso kostbare Kleinode schaffen könne. Sindri machte sich sogleich an die Arbeit, legte eine Schweinshaut in die Esse und forderte Brokk auf, den Blasebalg zu betätigen und nicht eher damit aufzuhören, bis er es ihm erlaube. Brokk tat, wie ihm geheißen; Sindri verließ die Schmiede. Kaum war er fort, setzte sich eine Mücke auf Brokks Arm und begann, ihn zu stechen. Brokk ließ sich nicht irritieren, und als Sindri zurückkam, holte er aus der Esse einen Eber mit goldenen Borsten, die so leuchtend erstrahlten, daß sie die finsterste Nacht erhellten. Als nächstes legte Sindri Gold ins Feuer und gebot Brokk erneut, den Blasebalg ohne Unterlaß zu betätigen. Wieder kam die Mücke angeflogen, ließ sich auf Brokks Hals nieder und stach ein ums andere Mal zu. Aber auch diesmal ließ sich der Zwerg nicht beirren. Nach angemessener Zeit kam der Schmied zurück und entnahm der Esse einen Goldring, den er Draupnir (»Träufler«) nannte, weil jede neunte Nacht acht gleichschwere Ringe von ihm abtropfen würden. Beim dritten Mal legte Sindri Eisen in die Esse. Diesmal stach die

Mücke Brokk in die Lider, so daß ihm Blut in die Augen rann. Er hielt einen kurzen Augenblick mit dem Blasen inne, um sich das Blut abzuwischen, und schon sackte der Blasebalg zusammen. Als Sindri zurückkam, mußte er feststellen, daß seine Arbeit um ein Haar völlig verdorben worden wäre. Doch zum Glück war es noch einmal gutgegangen. Nur der Griff des Hammers, den er aus der Esse nahm, war durch das Eingreifen der Mücke zu kurz geraten. Der Hammer, so erklärte Sindri, würde niemals sein Ziel verfehlen und stets in die Hand des Werfers zurückkehren; zudem war er so klein, daß man ihn mühelos in einem Männerhemd verbergen konnte. Snorri klärt uns darüber zwar nicht auf, doch dürfen wir annehmen, daß es sich bei der Mücke um Loki in einer seiner Verkleidungen gehandelt hat.

Wie sollte entschieden werden, wer die Wette gewonnen hatte? Odin, Thor und Frey waren die Richter. Loki gab Odin den Speer, Thor das goldene Haar und Frey das Schiff. Dann war Brokk an der Reihe. Er überreichte Odin den Ring, Frey den Eber und Thor den Hammer. Die Götter brauchten eine wirksame Waffe, um sich gegen die Riesen zu verteidigen, und deshalb bewerteten sie den Hammer als das beste Stück. Damit hatte Loki die Wette verloren und würde seinen Kopf einbüßen, wenn ihm kein Vergleich gelang. Er bot Brokk ein hohes Lösegeld, aber davon wollte der Zwerg nichts wissen.

Nun ergriff Loki die Flucht, doch Thor setzte ihm nach, holte ihn ein und lieferte ihn dem Zwerg aus. Brokk machte schon Anstalten, Loki den Kopf abzuschlagen, da hatte der spitzfindige Gott gerade noch rechtzeitig eine rettende Idee: nur den Kopf, so argumentierte er, habe er verwettet, nicht aber den Hals. So entschloß sich der Zwerg, ihm statt dessen die Lippen zusammenzunähen, vermutlich, um in Zukunft seine schelmischen Reden zu unterbinden.

Die Geschichte erfüllt bei Snorri einen deutlich erkennbaren Zweck: Sie soll erklären, wie die großartigen Schätze der Götter entstanden. Inwieweit dahinter eine ursprüngliche Absicht steht, es sich um einen echten Bestandteil des wikingerzeitlichen Mythos handelt, ist nicht bekannt. In dieser Geschichte weist Loki keine gottähnlichen Attribute auf. Allerdings verfügt er über die übernatürliche Fähigkeit, Gestalt und Eigenschaften anderer Geschöpfe anzunehmen, doch sind in der nordischen Sage dazu auch Menschen imstande.

Eine andere von Snorris Geschichten, die von Thors Expedition zum Hof des Riesenkönigs Utgard-Loki berichtet, zeigt diese »verstümmelte« Version der Loki-Figur. Thor begab sich wieder einmal auf Ostfahrt (ein spezieller Grund dafür wird nicht genannt). Begleitet wurde er von Loki, später stieß Thjalfi zu ihnen. Nach einer abenteuerlichen Begegnung mit dem Riesen Skrymir erreichte Thor mit seinen beiden Gefährten Utgard-Lokis gewaltige Burg, wo der Riese sie mit Hilfe von List und Täuschung demütigte. Utgard-Loki forderte seine Besucher auf, sich mit seinen Gefolgsleuten in verschiedenen Fertigkeiten zu messen. Thjalfi wählte den Wettlauf, da er schneller laufen konnte als alle anderen. Doch gegen den Lokalmatador Hugi lag er hoffnungslos zurück – kein Wunder, war Hugi doch nichts anderes, als was der Name besagte, nämlich »der Gedanke«, und so schnell, wie Gedanken fliegen, vermag kein Mensch zu laufen. Thor stellte sich als letzter dem Wettstreit. Er entschloß sich zunächst zu einem Wetttrinken. Seine Aufgabe bestand darin, ein Trinkhorn zu leeren, und er versagte jämmerlich. Später erfuhr er von Utgard-Loki, daß das andere Ende des Horns draußen im Meer gelegen hatte. Immerhin hatte er durch seine ungeheuerliche Anstrengung den Wasserspiegel sinken und damit die Ebbe entstehen lassen. Danach bot der Riesenkönig Thor einen weiteren Wettbewerb an, und der schien ein Kinderspiel zu sein: Würde er die ziemlich große Katze des Utgard-Loki vom Boden hochheben können? Er konnte es nicht, doch dies lag daran, daß es sich bei der Katze in Wirklichkeit um die Midgardschlange handelte, die die ganze Menschenwelt umgab und so lang war, daß niemand imstande war, sie hochzuheben – auch Thor nicht. Doch auch dies erfuhr Thor erst hinterher. Gedemütigt durch den neuerlichen Mißerfolg, forderte er nun einen Gegner, mit dem er einen Ringkampf austragen konnte. Der Riese ließ ihn gegen eine alte Frau, Elli, antreten. Nach erbittertem Kampf zwang sie den Gott mit einem Knie zu Boden. Dies gelang

ihr deshalb, weil Elli »das Alter« war, das letztendlich auch den Stärksten besiegt.
Lokis Beitrag, ein Wettessen, eröffnete die Spiele. Loki wettete, er könne schneller essen als irgendeiner der Männer im Saal. Utgard-Loki bestimmte einen gewissen Logi zu seinem Kontrahenten. Die beiden setzten sich an den gegenüberliegenden Enden vor einen mit Fleisch gefüllten Holztrog. Beide schlangen die Mahlzeit so gierig in sich hinein, wie sie nur konnten, und trafen sich genau in der Mitte des Troges. »Da hatte Loki alles Fleisch von den Knochen abgegessen, aber Logi hatte alles Fleisch mitsamt den Knochen verzehrt und den Trog dazu. Alle dachten nun, daß Loki das Spiel verloren habe.« Erst später erkannten die Götter, daß *Logi* »Feuer« heißt, welches das gefräßigste aller Elemente ist.
Diese Seite Lokis – eine schlicht komische Figur ohne jeden Anschein von Göttlichkeit – ist nicht unwesentlich, doch halte ich seine finsterere, mächtige Seite für wichtiger. Leider wissen wir zu wenig über die Mythen, die über diesen Gott in Umlauf gewesen sein müssen, und was wir wissen, ist ganz verschiedenartig und sehr vage. Es gibt die Phantasie anregende Hinweise auf Geschichten, wie jene über einen Kampf zwischen Loki und dem wenig bekannten Gott Heimdall, eine Fehde, die am Ende der Welt erneut aufflammen wird. In dem um das Jahr 1000 verfaßten Gedicht *Húsdrápa* des isländischen Dichters Ulf Uggason finden wir einen wichtigen Vers über diesen Mythos. Snorri behauptet, Ulf habe eine Menge über diese Geschichte in seinem Gedicht geschrieben, doch alles, was erhalten geblieben ist, sind diese rätselhaften Zeilen:

Der Götter berühmter Wächter, unerreicht an Weisheit,
Begab sich nach Singastein mit Farbautis schlauem Sohn.
Sohn von acht Müttern und einer, stark an Verstand,
Brachte den kostbaren *hafnýra* in seinen Besitz.

Wieder muß der Zuhörer selbst Bezüge herstellen. Heimdall war der Wächter der Götter, der die nach Asgard führende Brücke Bifröst bewacht. Er ist es, der am letzten Tag mit seinem Horn das

Nahen der feindlichen Streitmacht ankündigen wird. Seine Geburt ist eine Kuriosität, wurde er doch von neun Müttern zur Welt gebracht. Farbautis Sohn war Loki. Also gingen Loki und Heimdall irgendwann einmal nach Singastein, wo Heimdall eine *hafnýra* an sich brachte, ein sonderbares Wort, das nur in diesem Vers vorkommt. Wörtlich übersetzt bedeutet es »Seeniere«, und jeder darf raten, was das sein könnte. In *Skáldskaparmál* gibt Snorri eine Erklärung. »Heimdall ist der Besucher in [...] Singastein. Das war, als er mit Loki um den *Brísingamen* kämpfte [...]. Sie hatten sich in Seehunde verwandelt.« Offenbar war Singastein ein Felsriff im Meer, was die sonderbare Verkleidung der Götter erklärte. Was *Brísingamen* ist, wissen wir (auch wenn ich nicht die leiseste Ahnung habe, was es mit »Seenieren« zu tun hat). Es handelt sich dabei um den berühmten und kostbaren goldenen Halsschmuck, der sich einige Zeit im Besitz der Göttin Freyja befand. Nach einem späten Text wurde er von vier Zwergen geschaffen. Freyja war von der Schönheit des Schmucks so sehr geblendet, daß sie ihn unbedingt haben wollte. Sie begehrte ihn so heftig, daß sie mit jedem der Zwerge schlief, die ihr dann das Halsband als Belohnung schenkten. Das klingt durchaus typisch für diese Göttin. Mehr wissen wir nicht, außer daß beim Untergang der Welt Loki erneut mit Heimdall kämpfen und einer den andern erschlagen wird.

Anfang, Mitte und Ende

Die meisten – vielleicht sogar alle – Völker machen sich Gedanken über die ferne Vergangenheit und die ferne Zukunft: Wie entstand diese Welt? Was war vorher da? Welches sind die Grenzen der Welt? Wie werden sie gezogen? Wie (selten: warum) wurde der Mensch erschaffen? Wie wird das Weltende aussehen, und was wird danach geschehen? Solche Überlegungen sind eine reiche Quelle für Mythen, in unserem Falle die nordischen. Die Antworten der Menschen des Nordens auf diese Fragen sind gewiß nicht einheitlich und schon gar nicht umfassend. Auch dürfen wir nicht annehmen, daß es einen einzigen, orthodoxen Glauben gab, der vermittelt werden sollte.

Einen guten Einstieg in diesen Themenbereich bildet der erste Teil des großartigen Eddaliedes *Vǫluspá*, »Der Seherin Weissagung«. Es wurde wahrscheinlich um das Jahr 1000 verfaßt, als das Christentum in der nordischen Welt stark an Einfluß gewann. Das Lied ist in seiner uns vorliegenden Version also möglicherweise von jüdisch-christlichen Mythen durchsetzt. Zudem führt der *Codex Regius* dieses Lied bereits in einer verstümmelten Form an; es gibt offenkundige Lücken und wahrscheinlich auch Einfügungen (die schwerer auszumachen sind). So weist also selbst unsere Hauptquelle Schwächen auf. Das Lied wird als die Prophezeiung einer nicht näher bezeichneten Wölva, einer Seherin oder Sibylle, vorgestellt, die diese auf Wunsch des Walvaters (das ist einer der zahlreichen Namen Odins) macht. Er hatte sie aufgefordert, die ältesten Sagen der Menschheit zu erzählen, von den frühesten Dingen zu berichten, deren sie sich entsann. Auf ihre Erinnerungen an Urzeiten folgen Anspielungen auf spätere, aber dennoch weit zurückliegende Ereignisse, und am Ende steht ein Ausblick auf die Zukunft, vermutlich um Odin eine Vorahnung von dem zu geben, was die Götter erwartet. Über den frühesten Zustand des Universums sagt sie:

Einst war das Alter da alles nicht war,
Nicht Sand noch See noch salzge Wellen,
Nicht Erde fand sich noch Überhimmel,
Gähnender Abgrund, und Gras nirgend.

So weit ist alles klar. Doch dann werden die Andeutungen derart vage, daß vieles rätselhaft bleibt. Burs Söhne, sagt sie, hoben Land aus dem Meer und schufen Midgard, die mächtige mittlere Welt, in der die Menschen leben. Vegetation breitete sich aus, doch der Himmel war noch nicht geplant. Sonne, Mond und Sterne kannten ihre Aufgaben und Positionen nicht. Deshalb hielten die Götter – das in diesem Zusammenhang verwendete Wort ist *reginn*, was etwa »Ordnungsmächte« bedeutet – Rat und beschlossen den Wechsel von Tag und Nacht, die Tageszeiten und die Einteilung der Zeit in Jahre. Sie trafen auf einer Ebene namens Idafelde zusammen, was »Immergrünes Feld« heißen könnte. Dort errichteten sie Häuser und Tempel, bauten Schmieden, stellten Werkzeuge her und bearbeiteten kostbare Metalle. So lebten sie in Frieden und großem Wohlstand und vergnügten sich bei einer Art von Brettspiel mit goldenen Figuren, mit dem sie, wie manche glauben, die Geschicke der Welt bestimmten. Dann brach eine Katastrophe herein. Worum es sich dabei handelte, wissen wir nicht. Offenbar waren drei mächtige Riesenweiber mit im Spiel, doch geht in dieser Strophe jeglicher bis dahin vorhandene Zusammenhang verloren. Auch Snorri Sturluson wußte keine Antwort.

Selbst ein Amateurkosmograph wird in der Schilderung der Seherin zahlreiche schwarze Löcher entdecken. Zu viele Dinge bleiben ungeklärt. Wer waren Burs Söhne? (Odin und seine beiden Brüder?) Und woher kamen sie? Wer erschuf die Himmelskörper? Welchen Ursprungs sind die Götter, und wie erlangten sie ihre

»Ordnungsmacht«? Usw., usw. Diese Lücken können natürlich auf die unzulängliche Überlieferung und Niederschrift von *Vǫluspá* zurückzuführen sein. Snorri hatte offenbar ebenfalls seine Schwierigkeiten, doch unternahm er einen weitaus erfolgreicheren Versuch, die Schöpfung zu erklären. Dies gelang ihm im wesentlichen durch die Interpretation zusätzlichen Materials, das im Frage- und Antwort-Lied *Vafþrúðnismál* zu finden ist. So lautet denn auch eine der ersten Fragen, die Gangleri/Gylfi an die drei geheimnisvollen Könige richtete: »Wie ward die Welt, wie entstand sie, und was war zuvor?« »Der Hohe« antwortete mit der oben zitierten Strophe (und wählt damit eine bessere Version als die im *Codex Regius* erhaltene). Doch die Könige hielten dies anscheinend für unzureichend, denn sie machten weitere Ausführungen, die allerdings nicht immer ganz einfach zu deuten sind. Sie beschreiben ein Universum, in dessen Nordhälfte Eiseskälte herrscht. Diese unwirtliche Gegend heißt Niflheim (Nebelheim). Im anderen Teil, Muspell genannt, lodern Flammen, und es ist unerträglich heiß. Diese beiden Gebiete breiten sich zu beiden Seiten von Ginnungagap, einer gähnenden Schlucht, aus. In diese Schlucht stürzten einst die Wasser eines Flusses, erstarrten zu Eis und bildeten in ihrem nördlichen Teil nach und nach ein Fundament. In ihren südlichen Teil gelangten heiße Winde und Funken aus Muspellsheim. Dort, wo diese auf das Eis trafen, schmolz es, und aus den von der Kraft der Wärme belebten Tropfen entstand der Frostriese Ymir. Von ihm stammt, durch ein verblüffendes Meisterstück von Parthenogenese, das Geschlecht der Frostriesen ab: »Als er schlief, fing er an zu schwitzen: da wuchs ihm unter seinem linken Arm Mann und Weib, und sein einer Fuß zeugte einen Sohn mit dem anderen.«

Gangleri wollte etwas über die Versorgung erfahren: Wovon lebte Ymir? »Als das Eis auftaute und schmolz, entstand die Kuh, die Audhumla hieß, und vier Milchströme rannen aus ihrem Euter; davon ernährte sich Ymir.« Aber wovon nährte sich die Kuh? »Sie beleckte die Eisblöcke, die salzig waren, und den ersten Tag, da sie die Steine beleckte, kam aus den Steinen am Abend Menschenhaar hervor, den andern Tag eines Mannes Haupt, den dritten Tag war es ein ganzer Mann, der hieß Buri.« Buri vermählte sich (Gangleri vergaß leider zu fragen, mit wem) und zeugte einen Sohn namens Bur. Dieser heiratete eine Riesin, mit der er drei Söhne hatte – Odin, Wili und We.

Zu dieser Zeit lebten Riesen auf der Erde, und sie erfuhren das gleiche Schicksal wie jene, die zu Noahs Zeiten lebten. Odin, Wili und We erschlugen Ymir, und in den Blutströmen, die sich aus seinen Wunden ergossen, ertränkten sie nahezu alle seine Nachkommen. Einzig und allein Bergelmir entkam mit seiner Familie, indem sie alle in sein *lúðr* sprangen, ein Wort, das »Kasten, Sarg« zu bedeuten scheint, das Snorri aber offenbar mit »Arche« gleichsetzte. Ymirs Leiche ließen Odin und seine Brüder nicht einfach der Verwesung anheimfallen. Sie schleppten den toten Riesen in die Schlucht Ginnungagap und legten ihn in der Mitte ab. Aus seinem Fleisch machten sie die Erde, aus seinen Gebeinen die Gebirge; seine Zähne und die einzelnen Splitter seiner zermalmten Knochen wurden zu Steinen und kleinen Felsen. Sein Blut bildete die stehenden Gewässer und das Meer, das die Erde umschließt. Aus Ymirs Schädeldecke schufen die Brüder den Himmel; an vier Punkten, die den Haupthimmelsrichtungen entsprachen, stellten sie je einen Zwerg darunter (wo die wohl hergekommen sind?) – vermutlich um das Gewölbe emporzuhalten. Sie fingen vereinzelte Funken und geschmolzene Teilchen, die aus Muspellsheim herüberflogen, und setzten sie an den Himmel, einige an eine bestimmte Stelle, andere so, daß sie darunter frei ihre Bahnen ziehen konnten. Noch immer hatten die Brüder nicht alles von Ymir wiederverwertet. Sie nahmen seine Brauen und machten daraus einen Schutzwall, um Midgard, die mittlere, von den Menschen bewohnte Welt, gegen die Riesen zu schützen. Ymirs Gehirn warfen die Brüder in die Luft, um daraus Wolken zu bilden. Zur Bekräftigung zitiert »der Hohe« aus einem anderen Frage- und Antwort-Lied, *Grímnismál*:

Aus Ymirs Fleisch ward die Erde geschaffen,
Aus dem Schweiße die See,
Aus dem Gebein die Berge, die Bäume aus dem Haar,
Aus der Hirnschale der Himmel.

Aus den Augenbrauen schufen gütge Asen
Midgard den Menschensöhnen;
Aber aus seinem Hirn sind alle hartgemuten
Wolken erschaffen worden.

Auf dieser Welt sollte eine Vielzahl von Geschöpfen leben – Menschen, Götter, Ungeheuer, Riesen und Elfen. Die geographische Beziehung ihrer verschiedenen Wohngebiete zueinander ist unklar und war dies wahrscheinlich immer. Snorri versuchte eine Eingrenzung. Die Riesen, so sagt er, leben an den Küsten des tiefen Weltmeeres, am äußeren Rand der kreisrunden Erde. Die Menschen wohnen weiter zur Mitte hin in ihrem von einem Schutzwall gegen die Riesen umgebenen Land namens Midgard. Es gibt zwei Gruppen von Elfen: die Schwarzalfen oder Zwerge, die im Inneren der Erde und in Felsen hausen, und die in Alfenheim beheimateten Lichtalfen. Die Götter und Göttinnen schufen sich ihre Wohnstätte in Asgard, wo jeder und jede ein eigenes Heiligtum besitzt. Am allerheiligsten Platz, im Mittelpunkt der Erde, halten die Götter täglich Rat unter der Esche Yggdrasil, deren Zweige die ganze Welt überschatten und die von drei Wurzeln gehalten wird. Unter einer dieser Wurzeln befindet sich Mimirs Quelle, die alle Weisheit und allen Verstand in sich birgt. Als Odin einen einzigen Schluck aus dieser Quelle nehmen wollte, um Weisheit zu erlangen, verlangte Mimir, daß der Gott dafür ein Auge als Pfand hineinlege. Deshalb wird Odin stets als Einäugiger dargestellt. Unter einer anderen Wurzel ergießt sich eine zweite Quelle, die als Schicksalsbrunnen bekannt ist. In ihrer unmittelbaren Nähe leben in einer prächtigen Halle die drei Nornen Urd, Werdandi und Skuld, die das Schicksal eines jeden Menschen bestimmen und seine Lebenszeit bemessen. Urd ist für die Vergangenheit, Werdandi für die Gegenwart und Skuld für die Zukunft zuständig. Hier läßt

Snorri auf eine gewisse Verwirrung in der nordischen Mythologie schließen, denn er erwähnt noch andere Nornen, »nämlich solche, die sich bei jedes Kindes Geburt einfinden« und sein Los bestimmen, allerdings nicht immer zu seinem Besten. So bemerkt Gangleri: »Wenn die Nornen über das Geschick der Menschen walten, so teilen sie ihnen schrecklich ungleich aus. Die einen leben in Macht und Überfluß, die anderen haben wenig Glück noch Ruhm; die einen leben lange, die andern kurze Zeit.« Für dieses ewige Problem weiß auch »der Hohe« keine überzeugende Lösung anzugeben.

Die von den Göttern geschaffene Welt wird indes nicht von ewigem Bestand sein. Selbst die große Weltenesche ist Angriffen ausgesetzt. Snorri zitiert eine Strophe aus *Grímnismál* über die Feinde des Baumes:

> Die Esche Yggdrasil duldet Unbill
> Mehr als Menschen wissen.
> Der Hirsch weidet oben, hohl wird die Seite,
> Unten nagt Nidhögg.

Der die Welt hassende Drache Nidhögg haust in der Quelle unter der dritten Wurzel. Er nagt unablässig daran, da er weiß, daß das Ende der Welt gekommen ist, sobald der Baum fällt. Die Nornen versuchen, die Esche zu retten, indem sie sie mit Wasser und Schlamm aus der Schicksalsquelle begießen. Diese Zauberflüssigkeit hilft, den Weltenbaum vor dem Verdorren zu bewahren. Letztendlich aber ist der Baum ebenso dem Untergang geweiht wie auch die Götter selbst. Sie sind sterblich wie der Mensch.

Ein anderer Mythos berichtet vom Entstehen der Menschheit. Die Hauptquelle bilden zwei Strophen der *Vǫluspá*. Der Text scheint hier etwas durcheinander geraten zu sein; zudem können wir auch nicht mit Sicherheit sagen, ob diese Strophen echt sind oder später eingefügt wurden. Fraglos sind die Einzelheiten der Geschichte etwas verworren, und ihr Anfang ist (wie auch das Ende) abrupt:

Gingen da dreie aus dieser Schar,
Mächtige, milde Asen zumal,
Fanden am Ufer unmächtig
Ask und Embla und ohne Bestimmung. (17)

Besaßen nicht Seele, und Sinn noch nicht,
Nicht Blut noch Bewegung, noch blühende Farbe.
Seele gab Odin, Sinn gab Hönir,
Blut gab Lodur und blühende Farbe. (18)

Snorri mußte für seine *Prosa-Edda* diese Strophen sinnvoll interpretieren. Das gelang ihm auch, allerdings nur durch Hinzufügen und Ändern. Er läßt Gylfi fragen, woher die Menschen kamen, die die Erde bewohnen. »Der Hohe« antwortet:

> Als Burs Söhne [Odin, Wili und We, eine Abweichung von der *Vǫluspá*-Version] am Meeresstrand entlanggingen, fanden sie zwei Bäume. Sie nahmen die Bäume und schufen Menschen daraus. Der erste gab Geist und Leben, der andere Verstand und Bewegung, der dritte Antlitz, Sprache, Gehör und Gesicht. Sie gaben ihnen auch Kleider und Namen: den Mann nannten sie Ask [Esche] und die Frau Embla [vielleicht »Ulme« oder »Rebe«], und von ihnen kommt das Menschengeschlecht, welchem Midgard zur Wohnung verliehen ward.

Um etwas über den Ursprung der verschiedenen Stände auf dieser Welt zu erfahren, wenden wir uns einem anderen, recht ungewöhnlichen Lied mit dem Titel *Rígsþula* oder auch *Rígsmál*, »Das Lied vom Rig« zu. Obgleich es ein Eddalied ist, taucht es im *Codex Regius* nicht auf. Es ist – allerdings nicht vollständig – in einer Handschrift der *Snorra-Edda* erhalten. Die Geschichte berichtet von Heimdall, einem recht unbekannten Gott, über den wir so wenig wissen, daß nicht einmal immer eindeutig gesagt werden kann, ob er Ase oder Wane ist. Er begab sich auf Reisen und nahm den Namen Rig an, der mit dem altirischen Wort *ríg*, ›König‹, in Verbindung gebracht wurde, da das Lied von den Ursprüngen des

Königtums und anderer Stände erzählt. Von daher besteht der Verdacht eines keltischen Einflusses auf den Mythos. In der Prosaeinleitung zu dem Gedicht heißt es:

> So wird gesagt in alten Sagen, daß einer der Asen, der Heimdall hieß, auf seiner Fahrt zu einer Meeresküste kam. Da fand er ein Haus und nannte sich Rig. Und nach dieser Sage wird dies gesungen: [. . .]

Der Gott wird uns als *kunnigr, rammr* und *roskr* vorgestellt, als klug, kraftvoll und kühn. Dies sind wichtige Eigenschaften für die Aufgabe, die er zu erfüllen hatte. In der Küche des ersten Hauses, in das er auf seiner Wanderschaft gelangte, saßen zwei betagte Leute, Ai und Edda (Urgroßvater und Urgroßmutter). Sie hießen Rig willkommen und bewirteten ihn, so gut sie konnten, mit grobem Brot und Brühe. Dann gingen sie alle zu Bett. Rig legte sich zwischen die Eheleute. Neun Monate später gebar Edda einen Knaben, den sie Knecht nannten. Er wuchs zu einem kräftigen, aber ungehobelten und häßlichen jungen Mann heran, der imstande war, harte, niedrige Arbeit zu verrichten. Er heiratete eine zu ihm passende Frau. Sie bekamen zahlreiche Kinder, die alle derbe Namen erhielten und die grobe Arbeit auf dem Hof erledigten: Mist ausbringen, Vieh hüten, Torf stechen. Von ihnen stammt der Stand der Knechte, der Unfreien, ab.
Rig wanderte weiter und kam zu einem Haus, das nach größerem Reichtum aussah. Drinnen saß ein gutgekleidetes Ehepaar mit Namen Afi und Amma, Großvater und Großmutter. Afi, ein geschickter Handwerker, bearbeitete Holz für einen Webbaum, Amma war in ihr Werk am Spinnrocken vertieft. Die beiden hießen Rig willkommen und stellten ihm vermutlich (der Text scheint hier eine Lücke aufzuweisen) ein besseres Nachtmahl vor als seine ersten Gastgeber. Als sie zu Bett gingen, legte sich Rig wieder zwischen die Eheleute. Nach neun Monaten brachte Amma einen rotwangigen Knaben mit lebhaftem Blick zur Welt. Sie nannten ihn Karl. Aus ihm wurde ein geschickter Handwerker, ein fleißiger Arbeiter und Bauer. Er nahm eine Wirtschafterin zur Frau, die

sich um die Wäsche kümmerte und die Schlüssel zu den verschlossenen Truhen am Gürtel trug. Aus ihrer Verbindung ging der Stand der Freien hervor.
Rig zog abermals weiter und gelangte an ein prächtiges Herrenhaus, das wiederum von einem Ehepaar bewohnt wurde, von Fadir und Modir, Vater und Mutter. Fadir überprüfte seine Waffen, um sicherzustellen, daß Pfeile und Bogen funktionstüchtig waren. Modir scheint mit ihrer Toilette beschäftigt gewesen zu sein; zweifellos war sie sehr elegant gekleidet. Sie breitete ihr bestes Leinentuch über den Tisch und stellte darauf in silbernen Schüsseln ein üppiges Mahl: Weißbrot, Schweinefleisch, Wildbret und Geflügel. Dazu wurde Wein gereicht. Sie saßen beim Mahl und unterhielten sich bis spät in die Nacht. Dann gingen sie zu Bett. Neun Monate später schenkte Modir einem Knaben das Leben. Er hatte blondes Haar, eine helle Haut, und seine Augen waren scharf wie die einer Schlange. Seine Eltern nannten ihn Jarl. Der Knabe lernte Schießen, Speerwerfen, Fechten, Reiten und Schwimmen und wuchs zu einem noblen Sportsmann und Kämpfer heran. Diesen Sohn anerkannte Rig und beteiligte sich an seiner Erziehung, indem er ihn Runen lehrte und ihm reichlich Grundbesitz zuwies. Aus dem Knaben wurde ein großer und wohlhabender Krieger, ein großzügiger Prinz. Er heiratete und hatte Kinder, die sich ebenfalls in den Künsten adligen Zeitvertreibs auszeichneten. Sein jüngster Sohn hieß Kon, und hier gönnt sich der Dichter ein Wortspiel: *Konr ungr*, »der junge Kon« wird schließlich *konungr*, »König«. Der Schluß des Liedes ist verloren.
Der Mythos ist leicht durchschaubar. Zwar haben alle Menschen in den drei Göttern (Odin, Wili, We bzw. Odin, Hönir, Lodur) letztlich gemeinsame Stammväter, denen sie ihre Existenz verdanken, doch sind sie nicht alle gleich. In der Tat wendet sich die Seherin zu Beginn ihrer Weissagung mit der Aufforderung zu schweigen an alle von Heimdalls Geschlecht, Hohe und Niedere. *Rigsmál* schildert, wie es zu der Einteilung in verschiedene Stände kam. Die soziale Stellung eines Menschen hing von seiner Herkunft ab. Dies galt insbesondere für das Königtum, denn das Wort »König«, *konungr* im Altnordischen, *kyning* im Altenglischen, be-

deutet »Sproß aus edlem Geschlecht«. Fähigkeiten, Auftreten, Rechte und Pflichten eines Mannes oder einer Frau leiteten sich aus der sozialen Stellung ab, in die er oder sie hineingeboren wurden. Das nordische Leben war aristokratisch, starr in seinen sozialen Beziehungen, die Stände waren deutlich voneinander abgegrenzt.

Für den Menschen, so sagt man, ist der Tod ein unvermeidliches Ende, das kommt, wenn es kommt. Doch gab und gibt es Völker, die den Tod nicht als Ende sehen wollen, sondern ihn lieber als Übergang in ein anderes Leben betrachten; und sie haben Mythen hervorgebracht, die diese Vorstellung vermitteln sollen. Die Nordleute sahen ihrem Ende nicht bereitwilliger entgegen als die meisten Menschen, und es finden sich zahlreiche Geschichten, die von einem Leben nach dem Tod berichten. Dabei kann es sich um ein Schattendasein in einem Grabhügel handeln; um ein Leben, das es den Toten gestattet, als »Wiedergänger« zurückzukehren; oder um ein Leben reich an Gelagen und Lustbarkeiten in einem heiligen Berg; usw. Diese Geschichten, so köstlich unglaubhaft sie sein mögen, sind kaum zur Mythologie zu zählen. Ihre Vielfalt legt nahe, daß es keine klare oder einheitliche Vorstellung über das Leben nach dem Tod gab, die für das gesamte heidnische Skandinavien gegolten hätte. Mythologische Geschichten und Bezüge bestätigen diese Vielfalt von Ansichten und geben nur unzusammenhängende Einblicke, manchmal bloße Andeutungen. So führt Snorri in seiner *Prosa-Edda* z. B. in seiner Aufzählung der Asinnen eine sehr wenig bekannte Göttin namens Gefjon an: »Sie ist unvermählt, und ihr gehören alle, die unvermählt sterben.«

Eine Strophe aus dem Eddalied *Hárbarðslioð* erzählt ebenfalls von einer Teilung der Verantwortung für die Toten bzw. des Anspruchs auf sie:

Odin hat die Fürsten, die da fallen im Kampf,
Thor hat der Thräle Geschlecht. (24)

Thräle (heute noch im englischen *thrall*, »Höriger, Leibeigner«, erhalten) war die Bezeichnung für die Knechte, die Unfreien.

Von einer anderen Gliederung wird in *Grímnismál* berichtet:

Volkwang ist die neunte: da hat Freyja Gewalt,
Die Sitze zu ordnen im Saal.
Der Walstatt Hälfte wählt sie täglich;
Odin hat die andre Hälfte. (14)

Für die sich auf Heerfahrt begebenden Krieger der Wikingerzeit besaß wohl der Mythos die größte Anziehungskraft, wonach Odin jene zu sich nimmt, die in der Schlacht fallen. Freyjas Kontingent wird meist nicht erwähnt, allerdings wird sie von Odin zweifellos benachteiligt, wählt er doch die Kühnsten für sich: Seine Gehilfinnen sind Halbgöttinnen, die Walküren; in der Tat bedeutet das Wort *valkyria* (*valr*, »die im Kampf Gefallenen«; *-kyrja*, verwandt mit dem Verb *kiósa*, »kiesen, küren«) »eine, die unter den Kriegstoten auswählt«. Als König Hakon der Gute von Norwegen um 960 den Wunden erlag, die er sich im Kampf zugezogen hatte, verfaßte Eyvind (mit dem Spitznamen »Skaldenverderber« belegt, weil er die Ideen anderer Skalden stahl) eine Grabode für ihn. Obgleich Hakon Christ gewesen war – daher auch sein Beiname –, schuf Eyvind seine Totenklage nach dem Vorbild von *Eiríksmál*, dem Erik Blutaxt gewidmeten heidnischen Gedicht. Zu Beginn erhalten zwei Walküren, Göndul und Skögul, einen Auftrag:

Göndul und Skögul sandte Gautatyr [Odin],
Könige zu küren,
Wer aus Yngwis Geschlecht zu Odin sollt' gehn
Und wohnen in Walhall.

Sie fanden Björns Bruder [Hakon], die Brünne angelegt,
Ein ruhmreicher König im Kampf.
Gere erhoben, Fahnen flatterten,
Das Gefecht nahm seinen Anfang.

Hakon kämpft bravourös:

Das Schwert in des Helden Hand
Durchstieß Odins Gewand [Rüstung] gleich Wasser
Speerspitzen klirrten, Schilder barsten,
Schwerter hieben auf Schädel ein.

Die Walküren erkennen Hakons Talent und erwählen ihn dazu aus, Odins Streitmacht zu stärken. Hakon ist nicht sehr begeistert; er sieht nicht ein, warum er in der Schlacht fallen soll:

Warum entschiedst du so die Schlacht, Skögul?
Gönnten die Götter uns nicht den Sieg?

Die Antwort lautet:

Des walteten wir, daß die Walstatt dein,
Und deine Feinde flohen.

Hakon ist noch immer nicht zufrieden, vor allem, weil er Odin mißtraut, der als *illúðigr*, »boshaft«, bekannt war. Obwohl ihm die Walküren sicheres Geleit zu Odins Halle und bei seiner Ankunft reichlich zu trinken versprechen, ist er nicht bereit, sich von seinen Waffen und seiner Rüstung zu trennen.

Helm und Brünne soll man hüten gut.
Daß wohl zur Hand die Waffe.

Die Götter heißen Hakon in ihrem Reich willkommen, doch das Lied schließt mit einem nichts Gutes versprechenden Vers, der auf Odins Bedarf an solchen Männern in seinem Heer anspielt:

Eh' fährt los auf der Leute Heim
Fessellos der Fenrir
Eh' ausfüll'nd den öden Platz
Kommt ein gleicher König.

In Walhall, Odins Halle der Gefallenen, läßt es sich gut leben, wenn man diese Art von Leben mag. In *Grímnismál* erfahren wir eine ganze Menge darüber, und Snorri übernimmt diese Mitteilungen in seine *Edda*, weitet sie aus, versucht, sie rational zu erklären, und kommentiert sie spöttisch. Da seit Jahrhunderten die Einherjer, die gefallenen Krieger, in Walhall zusammengefaßt wurden – und Snorri geht davon aus, daß sie sich alle dort aufhalten und nicht nur ein Teil –, muß es sich um ein riesiges Gebäude handeln:

Fünfhundert Türen und viermal zehn
Weiß ich in Walhall.
Achthundert Einherjer gehn aus je einer,
Wenn es dem Wolf zu wehren gilt.

Aber trotz dieser gewaltigen Zahl, zu der ja noch alle Gefallenen aus künftigen Schlachten hinzukommen, »wird es scheinen, ihrer seien viel zu wenig, wenn der Wolf kommt«, bekennt »der Hohe«. Für die Verpflegung dieser riesigen Armee ist der Koch Andhrimnir zuständig. Er bereitet in dem großen Kessel Eldhrimnir die tägliche Mahlzeit für die Krieger aus dem Fleisch des Ebers Sährimnir zu. Und jeden Abend steht das Tier wieder unversehrt da. Getrunken wird Met, der ebenfalls auf unkonventionelle Weise hergestellt wird. Eine Ziege namens Heidrun lebt auf dem Dach von Walhall. Sie ernährt sich vom Laub des Baumes Lärad, und aus ihrem Euter fließt so viel Met, daß sie täglich ein riesiges Gefäß damit füllt. »Das«, so stellt Gangleri verwundert – oder vielleicht ironisch – fest, »ist eine gewaltig treffliche Ziege, und ein ausbündig guter Baum muß das sein, an dem sie weidet«.
Odin selbst ist genügsamer: Wenn er mit seinen Einherjern an der Tafel sitzt, nimmt er nur Wein zu sich, der ihm Speise und Trank zugleich ist. Mit dem Fleisch, das ihm hingestellt wird, füttert er seine beiden Lieblingswölfe Geri und Freki.
Es gibt einen weiteren düsteren Ort, der in der Literatur als Wohnstätte der Toten erwähnt wird. Dieses Reich, in das alle kommen,

die nicht im Kampf den Tod gefunden haben, heißt Hel und wird von einer Herrin gleichen Namens beherrscht. Es ist ein grauenvoller Ort, von der Menschenwelt durch den Fluß Gjöll getrennt, über den eine Brücke führt. Auf diesem Weg gelangte auch Hermod ins Totenreich, als er seinen Bruder Balder zurückholen wollte. Snorri schildert genau, wie man nach Hel gelangt: *niðr ok norðr liggr Helvegr,* »nach unten und nach Norden geht der Weg hinab zu Hel«.

Immer wieder ist in diesem Buch – wie auch in der gesamten *Edda* und Skaldenliteratur – vom Weltenende die Rede, von dieser großen Katastrophe, die Odin mit Hilfe seiner Armee auserwählter und kampferprobter Krieger zu verhindern sucht. Dies ist *Ragnarǫk.* Dabei handelt es sich um ein zusammengesetztes Wort. Das erste Element, *ragna-*, ist der Genitiv Plural von *reginn*, mit dem, wie wir gesehen haben, die Götter als Ordnungsmächte bezeichnet werden. Der zweite Teil, *-rǫk*, bedeutet wörtlich »Wunder, Schicksal, Verhängnis«. Also bedeutet das Kompositum wörtlich »Schicksal/Verhängnis der Götter«, doch schon recht früh wurde das zweite Element mit dem Wort *røkkr,* »Dämmerung«, verwechselt; so erklärt sich der Titel von Wagners *Götterdämmerung.*

Die Götter wissen, daß Ragnarok unausweichlich ist. Es ist ihnen prophezeit worden, daß sie in dieser letzten Schlacht vernichtet werden, dennoch rüsten sie sich dafür. Ihre Größe zeigt sich in ihrer Bereitschaft, der Herausforderung durch ein unausweichliches Schicksal zu trotzen. Wieder ist *Vǫluspá* die Hauptquelle, aus der wir Einzelheiten über diesen Kampf erfahren; zahlreiche andere Gedichte spielen ebenfalls darauf an. Snorri übernahm die Weissagung der Seherin, die er ausgiebig zitiert und frei interpretiert. Die Endzeit dieser Welt wird mit furchteinflößenden Vorzeichen einsetzen. Es wird einen harten Winter geben, *fimbulvetr:* »Da stöbert Schnee von allen Seiten, da ist der Frost groß und sind die Winde scharf, und die Sonne hat ihre Kraft verloren. Dieser Winter kommt dreimal nacheinander und kein Sommer dazwischen.« Zuvor aber werden Kriege die Welt erfüllen, Streit und Totschlag selbst innerhalb von Familien toben – was den Kern des nordischen sozialen Denkens berührt. Moralische Bindungen lösen sich auf. Darauf folgen

> Beilalter, Schwertalter, wo Schilde klaffen,
> Windzeit, Wolfszeit, eh die Welt zerstürzt.

Hier finden wir ein Echo der Schrecken, die das Kommen des Antichrists in der jüdisch-christlichen Mythologie ankündigen, und wir sollten uns bewußt sein , daß *Vǫluspá* wahrscheinlich aus einer Zeit stammt, als sich das nordische Heidentum auf dem Rückzug vor dem Christentum befand.

Die Vorzeichen in der Natur sind unübersehbar. »Der Hohe« hatte Gangleri erklärt, Sonne und Mond zögen ihre Bahnen über die Himmel, verfolgt von Wölfen, die sie auffressen wollten. Bei Anbruch von Ragnarok, so erfahren wir nun, werden die Wölfe ihr Ziel erreichen.

> Da geschieht es, was am schrecklichsten dünken wird: daß der Wolf die Sonne verschlingt – den Menschen zu großem Unheil. Der andere Wolf wird den Mond packen und so auch großen Schaden tun, und die Sterne werden vom Himmel fallen. Da wird sich auch ereignen, daß die Erde so bebt und alle Berge, daß die Bäume entwurzelt werden, die Berge zusammenstürzen und alle Ketten und Bande brechen und reißen. Da wird der Fenriswolf los ...

Die Schilderung des Angriffs auf die Götter ist in den poetischen Quellen und in Snorris Prosafassung ziemlich verworren. Es bedarf einer gehörigen Portion Scharfsinns, um eine zusammenhängende Geschichte daraus zu machen, und was hier folgt, ist nur eine der möglichen Versionen. Drei Hauptfeinde führen den Angriff. Aus dem Meer gleitet die Midgardschlange Jörmungand kampfeslustig heran. Sie wühlt die See dermaßen auf, daß sich das Schiff Naglfar losreißt (den Namen des Schiffes gibt Snorri als »Nagelschiff« wieder; es sei, so erklärt er, aus den ungeschnittenen Nägeln der Toten gebaut, und liefert damit einen triftigen Grund, weshalb stets dafür Sorge getragen werden sollte, daß die Nägel vor der Bestattung eines Menschen ordentlich geschnitten sind). An Bord dieses Schiffes befinden sich Hrym und offenbar auch Muspells Söhne, wer sie auch sein mögen. Ihr Steuermann ist der ebenfalls von seinen Fesseln befreite Loki. Von Süden her dringt der Feuerriese Surt mit seiner Armee vor (zu der nach Ansicht anderer ebenfalls Muspells Söhne gehören). Am furchterregendsten von allen ist indes der wilde Fenriswolf, der auf das Schlachtfeld zustürmt, den Rachen so weit aufgerissen, daß, wie Snorri zu berichten weiß, »sein Oberkiefer den Himmel, der Unterkiefer die Erde berührt, und wäre Raum dazu, er würde ihn noch weiter aufsperren«.

Heimdall bläst sein Horn, um die Götter zum Kriegsrat zu rufen. Odin befragt Mimirs Haupt, doch es ist zu spät. Die Götter greifen zu den Waffen. Frey kämpft gegen Surt; er ist jedoch unzureichend bewaffnet – sein wunderbares Schwert hat er einst Skirnir geschenkt – und kommt um. Thor gelingt es zwar, Jörmungand zu töten, fällt aber seinerseits dem Gift, das die Midgardschlange zuvor gegen ihn gespien hatte, zum Opfer. Fenrir verschlingt Odin nach heftigem Kampf. Odins Sohn, Widar, rächt seinen Vater, indem er entweder, laut *Vǫluspá*, Fenrir das Schwert ins Herz stößt oder, nach Snorri und *Vafþrúðnismál*, ihm seinen in einem schweren Schuh steckenden Fuß in den Unterkiefer stellt, mit der Hand den Oberkiefer packt und ihm den Rachen auseinanderreißt (woher kommt dafür der Platz?). Snorri fügt noch zwei weitere Duelle an, die, meines Wissens, sonst nirgendwo erwähnt sind. Garm, ein riesiger Hund, und Tyr töten einander, die alten Feinde Loki und Heimdall bringen einander ebenfalls um. Dann setzt Surt die ganze Welt in Brand, und sie fällt den Flammen zum Opfer.

Die Geschichte ist zwar akkurat gegliedert, aber sie befriedigt kaum, weil so wenig erzählt wird. Wir erfahren fast nichts über die eigentliche Schlacht zwischen den Göttern und den Mächten des Bösen. Was ist mit den anderen Göttern, deren Namen wir kennen? Was passiert mit den Göttinnen? Wo sind Odins auserwählte Heerscharen, die für diese Auseinandersetzung so hart trainiert haben?

Ein Ungeheuer verschlingt eine männliche Gestalt, die man natürlich als Odin interpretieren könnte, dessen Schicksal sich am Weltenende erfüllt. Detail aus der Kirche von Torpo (Hallingdal, Norwegen)

Wie dem auch sei, jedenfalls bedeutet Ragnarok das Ende der Herrschaft der alten Götter. Doch obwohl ich an anderer Stelle den Begriff mit »das Ende der Welt« wiedergegeben habe, ist in Wirklichkeit noch nicht alles vorbei. Gerade hier in den letzten Strophen der »Weissagung« wird der christliche Einfluß auf die nordische Mythologie offenkundig. *Vǫluspá* und – dem Eddalied folgend – auch Snorri künden von einem Neubeginn in einer neuen Welt, die vom Verrat der alten geläutert ist. Gangleri stellt die entscheidende Frage:

> Was geschieht hernach, wenn Himmel und Erde verbrannt sind und alle Welten und die Götter alle tot sind und alle Einherjer und alles Menschenvolk? Ihr habt vorhin doch gesagt, daß ein jeder Mensch in irgendeiner Welt leben soll durch alle Zeiten.

Ein Mann, der auf dem Kreuz von Gosforth gegen ein Ungeheuer kämpft – wiederum Odin am Weltenende?

»Es gibt viele gute und viele üble Aufenthalte«, antwortet »der Hohe« und nennt dann Beispiele für das eine wie für das andere. War man zu Lebzeiten ein rechtschaffener Mensch, so ist es einem vielleicht vergönnt, in angenehmer Umgebung weiterzuleben. Das kann bedeuten, einen guten Trunk im Saal Brimir zu genießen oder ein vermutlich sorgenfreies Leben in dem goldenen Saal, Sindri genannt, zu führen. Im Gegensatz dazu – und hier zitiert Snorri aus *Vǫluspá* – gibt es anderswo einen Saal mit dem nicht gerade vielversprechenden Namen *Nástrǫnd*, »Leichenstrand«. Seine Türen gehen nach Norden hinaus, was schon nichts Gutes verheißt. »Er ist mit Schlangenrücken gedeckt, und die Häupter der Schlangen sind alle in das Haus hineingekehrt und speien Gift, daß Ströme davon durch den Saal rinnen, durch welche Eidbrüchige und Meuchelmörder waten.«

Doch es wird eine Erneuerung geben. In *Der Seherin Weissagung* heißt es:

Sie sieht auftauchen   zum andern Male
Aus dem Wasser die Erde   und wieder grünen.
Die Fluten fallen,   darüber fliegt der Aar,
Der auf dem Felsen   nach Fischen weidet.   (58)

Die Asen einen sich   auf dem Idafelde,
Und sprechen vom mächt'gen   Umspanner der Welt.
Uralter Sprüche   sind sie da eingedenk
Und von Fimbulty [Odin]   gefundner Runen.   (59)

Selbst auf jenes sonderbare Brettspiel, das ein wichtiger Bestandteil im frühen (unschuldigen?) Leben der alten Götter gewesen war, findet sich ein Hinweis:

Da werden sich wieder   die wundersamen
Goldenen Tafeln   im Grase finden,
Die in Urzeiten   die Asen hatten.   (60)

Dann wird – sei es, weil die Götter ihre Figuren neu setzen, sei es einfach der Lauf der Zeit – ein goldenes Zeitalter kommen. Felder werden ungesät Frucht tragen – einer der ewigen Menschheitsträume – und alle Übel geheilt sein. Balder wird zurückkehren, und die Kinder der alten Götter werden das Erbe ihrer Väter antreten. Nach Snorri (nicht in *Vǫluspá*, wohl aber in *Vafþrúðnismál*) überleben zwei Menschen den Holocaust, die sich verborgen gehalten und sich vom Morgentau genährt hatten. Sie werden ein neues Menschengeschlecht zeugen.

Damit beginnt die ganze traurige Angelegenheit wieder von vorne. Gangleri hätte zweifellos gern noch mehr erfahren, doch »der Hohe« beendete das Gespräch unwiderruflich: »Wenn du aber nun weiter fragen willst, so weiß ich nicht, woher dir das kommt, denn nie hört ich jemanden mehr von den Schicksalen der Welt berichten. Nimm also hiermit vorlieb.« Gangleri blieb auch gar nichts anderes übrig, denn in diesem Augenblick löste sich das Trugbild, das die Götter ihm vorgegaukelt hatten, mit lautem Getöse in Luft auf, und er fand »sich alleine stehen auf einer weiten Ebene und sah weder Halle noch Burg mehr. Da ging er seines Weges fort und kam zurück in sein Reich und erzählte die Dinge, die er gehört und gesehen hatte, und nach ihm erzählte einer dem anderen diese Geschichten.«

Götter und Helden

Die bisher besprochenen Mythen zeigten uns die Götter und Göttinnen ziemlich isoliert von den Menschen. Sie handelten von Begebenheiten, die nur Gottheiten betrafen (wie im Balder-Mythos), oder von den oft stürmischen Beziehungen zwischen Göttern und anderen übernatürlichen Wesen – Riesen, Dämonen, Zwergen usw. (wie in der Geschichte von Iduns Entführung). Odin interessierte sich für Krieger der Wikingerheere, denen er eine Zeitlang zum Sieg verhalf, ehe er sich von ihnen abkehrte und sie im Kampf fallen ließ, um sie für sein eigenes Heer zu rekrutieren. Zwangsläufig besteht in den Berichten über die Erschaffung der Welt und ihren Untergang ein Zusammenhang zwischen Göttern und Menschen. Doch ansonsten fehlt diese Verbindung in den hier vorgestellten Göttermythen.

Es gibt indes einen durch seine nachhaltige Wirkung auf die europäische Kultur einflußreichen Mythos, der illustriert, wie eine Handlung der Asen das Schicksal einzelner Menschen bestimmen konnte, einen Mythos, der ein Götter-Abenteuer mit einem Sagenzyklus über heroische Könige und Krieger verknüpft. Damit komme ich auf eine Frage zurück, die ich im ersten Kapitel gestellt, aber noch nicht beantwortet habe: Warum wird Gold auch als »Otterbuße« bezeichnet? Die Antwort gibt uns »Das Lied vom Drachenhort« mit seiner Prosa-Einleitung im *Codex Regius*. Die *Snorra-Edda* enthält eine Prosafassung der Geschichte, und die Ereignisse, in Verbindung mit zahlreichen Heldentaten, tauchen auch in einer spätmittelalterlichen isländischen Saga mit dem Titel *Vǫlsunga saga*, »die Geschichte der Wölsunge« auf, über die später noch zu sprechen sein wird.

Die Geschichte beginnt mit einem reichen Riesen namens Hreidmar. Er besaß Zauberkräfte, und es überrascht nicht, daß seine drei Söhne über besondere Eigenschaften verfügten. Zwei von ihnen, Fafnir und Otter, konnten ihre Gestalt verändern. Der dritte, Regin, war ein Zwerg. Wie alle Zwerge war er ein geschickter Handwerker, vor allem ein guter Schmied. Er war auch, so heißt es im *Codex Regius*, »weise, grimmig und zauberkundig«. Otter hatte die seltsame Angewohnheit, sich in einen Fischotter zu verwandeln und in einem Wasserfall Fische zu fangen. Das wurde ihm zum Verhängnis.
Eines Tages befanden sich die drei Götter Odin, Hönir und Loki auf einer ihrer Erkundungsfahrten. Wie üblich, brachte Loki sie in Schwierigkeiten. Diesmal durch eine unbedachte, aber entschuldbare Handlung. Sie kamen an einen Wasserfall. Am nahen Ufer sahen sie einen Fischotter, der sich an einem Lachs gütlich tat. Wie alle Ottern, so bemerkt die *Vǫlsunga saga* (und es wäre interessant zu wissen, ob es sich dabei um eine naturgeschichtliche Tatsache handelt), verzehrte dieser Otter seinen Fang mit geschlossenen Augen. In der Saga wird dieses Verhalten damit erklärt, daß das Tier es nicht mitansehen konnte, wie seine Mahlzeit immer kleiner wurde, je mehr es davon aß. Jedenfalls sah der Otter die Götter nicht kommen. Loki warf einen Stein nach ihm, verwundete ihn tödlich und erbeutete mit diesem einen Wurf ein Fischotterfell und einen Lachs. Die Götter hielten dies für einen Glückstreffer – bis sie zu Hreidmars Behausung gelangten und dort um Nachtquartier baten. Sie brüsteten sich mit ihrer Jagdbeute und zeigten Hreidmar das Fell. Der Bauer und seine Söhne erkannten es, ergriffen die Götter und verlangten Entschädigung. Die Asen willigten ein, den Balg mit Gold zu füllen und dann Gold darüber aufzuhäufen, bis er vollständig bedeckt war. Loki wurde ausgesandt, um das nötige Gold herbeizuschaffen.
Zum Glück hatte er von einem Zwerg namens Andwari gehört, denn es war bekannt, daß die handwerklich geschickten Zwerge meist große Schätze besaßen. Dieser Zwerg war ein merkwürdiger Kerl. Er verwandelte sich in einen Hecht, der sich in einem Wasserfall von anderen Fischen ernährte. Loki lieh sich von der

Meergöttin Ran ein Netz, mit dem er den Hecht fing. Im »Drachenhortlied« ist das Gespräch zwischen den beiden festgehalten. Loki fragte:

Wer ist der Fisch, der durch die Fluten schießt
und sich vor Schaden nicht schützt?
Aus Hels Haft dein Haupt nun löse,
gib mir Feuer der Flut! (1)

Der Zwerg antwortete:

Andwari heiß ich, Oïn hieß mein Vater;
viel Schnellen durchschwamm ich schon:
Arge Norne in der Urzeit mir schuf,
daß im Wasser ich weilen muß. (2)

Als Gegenleistung für seine Freilassung verlangte Loki Andwaris gesamtes Gold. Der Zwerg händigte es ihm aus. Nur einen Ring (vermutlich einen Arm- und keinen Fingerring) versuchte er zurückzubehalten, da dieser Zauberkräfte besaß, mit deren Hilfe er sich neuen Reichtum beschaffen könnte. Loki nahm ihm auch diesen Ring ab. Bevor der Zwerg sich in seine sichere Höhle flüchtete, verfluchte er alle künftigen Besitzer seines Schatzes:

Das Gold [das Wort konnte auch »Ring« heißen] soll,
das Gust hatte,
Brüdern zwein bringen den Tod
und acht Fürsten Fehde wecken;
niemandem nütze mein Gut! (5)

Loki kehrte mit seiner Beute zu den anderen zurück. Der Ring gefiel Odin, und er wollte ihn für sich behalten. Mit dem Rest des Schatzes stopften die Asen den Balg aus und hüllten ihn dann ganz mit Gold ein. Hreidmar begutachtete das Ergebnis ihrer Bemühungen. Dabei entdeckte er ein Barthaar, das noch hervorlugte. Widerwillig zog Odin den Ring hervor und bedeckte damit das Haar. Als die Götter Hreidmars Gehöft verließen, tat Loki den Fluch des Zwerges kund:

Das Gold ist gezahlt; großes Lösegeld
erhieltst du für mein Haupt.
Kein Segen deinem Sohne erwächst:
Es kostet euer beider Blut. (6)

Und dem war auch so. Fafnir und Regin verlangten ihren Anteil an dem Bußgeld, doch Hreidmar war nicht bereit, etwas davon abzugeben. Daraufhin tötete Fafnir seinen Vater, nahm den Schatz an sich und versteckte ihn in einer Höhle auf der Gnitaheide. Er selbst verwandelte sich in einen Drachen und bewachte das Gold, bis Regin seinen Tod herbeiführte.

Den Wagnerianern wird einiges davon bekannt vorkommen, zumindest in groben Zügen: ein Goldschatz, ein mit einem Fluch behafteter Ring, einem Zwerg durch Verrat entlockt; ein mit Gold zu bedeckender Körper und ein Ring, der zum Schluß noch daraufgelegt werden muß, um das Werk zu vollenden. In *Das Rheingold*, den Prolog zum *Ring des Nibelungen*, gingen auch Elemente anderer in diesem Buch erwähnter Mythen ein: eine von Riesen für die Götter erbaute Burg, die dann nicht bereit sind, den mit den Baumeistern geschlossenen Vertrag einzuhalten; eine Göttin, die die Äpfel der Jugend verwahrt und von den Riesen in ihre Gewalt gebracht wird, was zur Folge hat, daß die Götter alt und schwach werden. Fraglos bezog Wagner ein Gutteil seines Stoffes aus der nordischen Mythologie, den er dann seinen eigenen Absichten entsprechend bearbeitete. Doch über weite Strecken von Wagners Musikdrama stehen die Abenteuer zweier Helden – Vater und Sohn: Siegmund und Siegfried – im Mittelpunkt, deren gespanntes Verhältnis zu den Göttern und insbesondere zu Odin (Wagners *Wotan*) ihnen zum Verderben gereicht.

Auch die nordische Überlieferung kennt diese Verbindung zwischen dem Mythos des mit einem Fluch belasteten Ringes und einer Familie von Helden-Königen. Dabei ist der Stoff tatsächlich eher mitteleuropäisch als nordisch; die Literatur des mittelalterlichen Skandinaviens hat ihn freilich am vollständigsten erhalten. Hinter den von den nordischen Schriftstellern überlieferten legendären Namen sind bestimmte historische Personen zu erkennen.

Der König namens *Gunnar* war wahrscheinlich der Gunthaharius aus der Burgunden-Dynastie des 5. Jahrhunderts, während der schurkische *Atli* ein Spiegelbild des grausamen Hunnenkönigs Attila ist, der 451 starb. König *Iǫrmunrekr* verkörpert Ermanarich, den im 4. Jahrhundert lebenden König der Ostgoten, während es sich bei *Hiálprekr* um den 584 verstorbenen Merowinger Chilperich handeln könnte. Die Reihenfolge, in der diese Personen in dem skandinavischen Sagenkreis auftreten, setzt sich über jede historische Chronologie hinweg.

Die nordischen Sagen werden in einer Gruppe von Heldenliedern der *Lieder-Edda* erzählt, doch sie unterscheiden sich wesentlich in Entstehungszeit und Form. Einige stammen wahrscheinlich aus sehr früher Wikingerzeit, andere erst aus dem 12. Jahrhundert. Bei manchen handelt es sich um erzählende, von Dialogstrophen durchbrochene Dichtung. In anderen, den sogenannten Halbprosaliedern, wechseln sich direkte Rede und metrische ungebundene Rede ab, und die Beziehung zwischen Vers- und Prosaabschnitten hat zu Diskussionen, ja sogar Kontroversen Anlaß gegeben. Wieder andere geben eine Geschichte vom Standpunkt einer der handelnden Personen wieder, die auf vergangene Ereignisse zurückblickt. Doch trotz aller Vielfalt stoßen wir auf zahlreiche inhaltliche und stoffliche Ähnlichkeiten: Es geht um heftige Fehden, ausgefochten von zu Grausamkeit neigenden Königen, denen häufig nicht minder grausame Frauen zur Seite stehen. Könige sind überheblich, oft habsüchtig, streben nach Ruhm oder haben Angst, für feige gehalten zu werden. Das allgemeine Umfeld ist heidnisch, wie alle Christen bereitwillig bestätigen werden.

Einen Teil der Geschichte überlieferte Snorri uns in seiner *Prosa-Edda*. Wichtiger für die gesamte Erzählung ist aber die *Vǫlsunga saga*, eine nur in einer einzigen, um 1400 entstandenen Handschrift erhaltene Prosaversion aus dem 13. Jahrhundert. Im wesentlichen erzählt die *Vǫlsunga saga* die Eddalieder nach und verbindet sie zu einer kontinuierlichen Geschichte; zudem verarbeitet sie Material aus uns verlorenen Quellen. Das Ergebnis ist zuweilen widersprüchlich, da die Lieder nicht immer Identisches erzählen. Daneben existieren weniger ausführliche nordische Quellen (darunter Saxo Grammaticus). Eine beträchtliche Menge von Informationen sind in mittelalterlichen deutschen Werken enthalten – wobei allerdings gelegentlich Abweichungen von der nordischen Version festzustellen sind –, und Hinweise aus dem angelsächsischen England zeigen, daß selbst dort zumindest Teile der Saga bekannt waren.

Die skandinavische Version beginnt mit einem König namens Wölsung, dem Begründer einer bedeutenden Dynastie in Hunenland, von dem es hieß, er stamme von Odin ab. Er zeugte zehn Söhne und eine Tochter, doch nur ein Sohn, Sigmund, und dessen Zwillingsschwester, Signy, werden namentlich erwähnt. Wölsung war ein weiser König und großer Krieger und hielt Hof in einer prachtvollen Halle, in deren Mitte ein Baum emporwuchs. Siggeir von Gautland (Götland, Schweden), ein ebenfalls mächtiger König, warb um Signys Hand, und Vorbereitungen für die Vermählung wurden getroffen. Natürlich gab es ein großes Hochzeitsfest. Als am Abend alle um die großen Feuer saßen, trat ein Fremder in die Halle, ein einäugiger alter Mann, der einen Umhang trug und sein Haupt mit einer Kapuze bedeckt hielt. Wer konnte dies anderes sein als Odin, auch wenn ihn niemand erkannte? In der Hand hielt er ein Schwert, das er mit aller Macht in den Baumstamm stieß. Dann verkündete er, die Waffe solle demjenigen gehören, der sie wieder herausziehen könne, und verschwand. Alle Gäste versuchten sich an der Aufgabe, doch allein Sigmund gelang es, das Schwert aus dem Stamm zu ziehen. Als sie die Waffe begutachteten, erklärten alle übereinstimmend, daß es das beste Schwert sei, das sie je gesehen hätten. Siggeir wollte es Sigmund abkaufen, doch dieser weigerte sich, es seinem Schwager zu überlassen. Damit wurde der Grundstein für Zwietracht zwischen den Familien gelegt. (Das Motiv vom Schwert im Baumstamm findet sich natürlich in Wagners *Walküre* wieder.)

Siggeir brach die Hochzeitsfeierlichkeiten ab und kehrte mit Signy, die ihm nur widerwillig folgte, in sein Reich zurück. Vor seiner Abreise hatte Siggeir Wölsung und seine Söhne jedoch zu einem Gegenbesuch nach Gautland eingeladen, der drei Monate später stattfinden sollte. Als Wölsung mit seinem Gefolge dort

eintraf, erwartete ihn Siggeir an der Spitze eines starken Heeres. Sein Stolz gestattete es dem alten König nicht, sich zurückzuziehen, und er stellte sich mit seiner kleinen Schar zum Kampf. Trotz tapferen Widerstands fielen Wölsung und alle seine Männer, nur die zehn Söhne überlebten und wurden gefangengenommen.
Auf Signys Vorschlag hin wurden sie mitten im Wald an einen Baumstamm gefesselt und sich selbst überlassen. Jede Nacht kam eine Wölfin aus ihrer Höhle und fraß einen der Brüder, bis nur noch Sigmund am Leben war. Erst zu diesem späten Zeitpunkt hatte Signy eine Idee, wie sie ihrem Bruder helfen könne. Sie sandte ihren Diener mit dem Auftrag in den Wald, Sigmunds Gesicht mit Honig zu bestreichen und ihm auch etwas davon in den Mund zu geben. Als die Wölfin wie gewöhnlich erschien, witterte sie den Honig und begann, Sigmunds Gesicht abzulecken; zu guter Letzt steckte sie ihre Zunge in seinen Mund, um auch an den Honig dort heranzukommen. Sigmund biß kräftig in die Zunge der Wölfin, die zurücksprang und heftig zog und zerrte, um sich zu befreien. Dabei stemmte sie sich mit ihren Beinen so gewaltig gegen den Stamm, daß er in Stücke brach. Sigmund, von seinen Fesseln befreit, riß ihr die Zunge samt der Zungenwurzel aus dem Rachen, so daß die Wölfin verendete.
Nachdem Sigmund so seine Freiheit wiedererlangt hatte, verbarg er sich mit Signys Hilfe in den Wäldern. Dort schmiedete das Paar Rachepläne. Signy schickte ihre beiden Söhne, um zu sehen, ob sie ihrem Bruder von Nutzen sein könnten, doch sie erwiesen sich als schwach, und Sigmund tötete beide. Seltsamerweise scheint Siggeir ihr Verschwinden gar nicht bemerkt zu haben. Signy wollte unbedingt einen Sohn von ihrem Bruder. Sie verwandelte sich in eine schöne Hexe, suchte ihn in seiner Erdhütte im Wald auf und schlief mit ihm. Aus dieser Vereinigung ging ein Sohn, Sinfjötli, hervor, der sich später als ziemlich roher Geselle entpuppte. (Die Inzestverbindung, die zur Geburt eines Helden führt, fand auch in Wagners *Walküre* Eingang.)
Vater und Sohn bestanden eine Reihe von Abenteuern. Als Sinfjötli erwachsen und einigermaßen kampferprobt war, hielt Sigmund die Zeit für gekommen, seinen Vater zu rächen. Zusammen

begaben sie sich an Siggeirs Hof und versteckten sich in der Vorhalle. Dort wurden sie von Signys beiden jüngsten Söhnen entdeckt; Sinfjötli hieb sie mit seinem Schwert in Stücke und warf ihre Leichen in den Saal. Darauf reagierte sogar der lethargische Siggeir und befahl, die Eindringlinge zu ergreifen. Nach dem üblichen heldenhaften Widerstand wurden Sigmund und Sinfjötli überwältigt und lebendig in einem Erdhügel begraben, damit sich ihr Todeskampf möglichst lange hinziehe. Signy aber warf ein mit Stroh umwickeltes Stück Speck in die Graböffnung, bevor diese geschlossen wurde. Als Sinfjötli es in Augenschein nahm, stellte er fest, daß Sigmunds Schwert darin verborgen war. In gemeinsamer Anstrengung befreiten sie sich damit aus dem Hügel, kehrten zu Siggeirs Burg zurück und zündeten sie an. Der König und sein Gefolge verbrannten bei lebendigem Leib in der Halle. Signy hatte sich, wohl in der Einsicht, daß ihr Verhalten kein Entkommen zuließ, geweigert, ihren Gatten zu verlassen, und kam mit ihm in den Flammen um.

Für diese grausame Geschichte besitzen wir keine überlieferte Quelle, wohl aber einen Hinweis auf die Ereignisse in einigen zitierten Verszeilen, die sich auf die Flucht von Vater und Sohn aus dem Erdhügel beziehen. Sie lauten:*

An die Felsplatte setzten kräftig als Säge
Sigmund das Schwert und Sinfjötli.

Offenbar hat der Verfasser der Wölsungensaga hier wie auch an anderen Stellen ein Gedicht, das er kannte (das uns aber nicht überliefert ist), in recht nüchterne Prosa übertragen.

Sigmund und sein Sohn/Neffe kehrten in das Reich ihrer Vorfahren zurück. Sigmund übernahm die Macht im Lande und heiratete Borghild, die ihm zwei Söhne gebar, von denen der eine, Helgi, Berühmtheit erlangen sollte. Damit endet der erste Teil der Wölsungensaga.

* Die Wölsungensaga wird zitiert nach der Ausgabe *Nordische Nibelungen*, übers. von Paul Herrmann, Köln 1985 (Diederichs Gelbe Reihe, 54).

Der zweite Abschnitt der *Vǫlsunga saga* schildert die Abenteuer von Helgi und seinem Stiefbruder Sinfjötli. Er basiert zum Teil auf einem Eddalied mit dem Titel »Das erste Lied von Helgi dem Hundingstöter«, das wir durch das komplexere Material eines zweiten Liedes über diesen Helden ergänzen können. Als junger Mann begab sich Helgi zusammen mit Sinfjötli auf Heerfahrt und tötete den mächtigen König Hunding. Hundings Söhne verlangten Buße für den Tod ihres Vaters, und als Helgi sich weigerte, sie zu zahlen, sammelten sie ein Heer und kämpften gegen ihn. Sie wurden geschlagen, mehrere von ihnen fielen in der Schlacht. Wenig später begegnete Helgi einer Gruppe von Frauen, unter denen sich König Högnis Tochter Sigrun befand. Als Walküre hatte sie Helgi im Kampf beschützt und sich in ihn verliebt. Bekümmert tat sie kund, daß sie mit dem feigen Sohn von König Granmar, Hödbrodd, vermählt werden solle. Helgi erbot sich augenblicklich, sie vor diesem schrecklichen Schicksal zu bewahren. Mit einer großen Flotte segelte er in Granmars Reich. Nach einem beschämenden Austausch gegenseitiger Beschimpfungen zwischen den beiden Heerführern griff Helgi an und brachte seinen Gegnern mit Hilfe von Sigruns Walküren eine vernichtende Niederlage bei. Helgi nahm Sigrun zur Gemahlin, danach hören wir in der Wölsungensaga nichts mehr von ihm; allerdings vermeldet das zweite Lied seinen Tod durch die Hand eines Rächers.

Sinfjötli setzte seine Heerfahrt fort und begegnete eines Tages einer attraktiven Frau, um die auch Borghilds Bruder Gunnar warb. Sinfjötli tötete seinen Rivalen. Überrascht stellte er bei seiner Heimkehr fest, daß er seiner Stiefmutter nicht willkommen war und sie ihn vom Hofe verstoßen wollte; Sigmund aber bestand darauf, daß er bei ihnen blieb. Borghild sorgte für ein köstliches Festmahl beim Leichenschmaus für Gunnar. Wie es der Brauch war, teilte sie das Getränk aus und brachte auch Sinfjötli ein volles Trinkhorn. Diesem kam das Bier trübe vor, und er wollte es nicht trinken. Da nahm Sigmund das Horn und leerte es. Allerdings konnte Sigmund Gift trinken, ohne Schaden zu nehmen; Sinfjötli konnte das nicht. Borghild brachte eine zweite Runde. Sinfjötli nahm das Horn, sah hinein und erklärte, der Trank sei vergiftet.

Wieder leerte sein Vater das Horn. Borghild unternahm einen dritten Versuch. »Gift ist im Trank«, beharrte Sinfjötli. Sigmund war mittlerweile betrunken und nicht mehr imstande, ein Urteil abzugeben. »Laß den Bart den Trank seihen«, riet er seinem Sohn. Dieser befolgte den Rat und fiel tot um. Von Kummer gebrochen, trug Sigmund den Leichnam zum Strand, wo er auf einen Mann (war dies möglicherweise wieder einmal Odin?) mit einem kleinen Boot traf, das nur einen Fahrgast aufnehmen konnte. Der Mann erbot sich, den Leichnam über den Fjord zu bringen. Sigmund legte seinen toten Sohn in das Boot und machte Anstalten, am Ufer entlang auf die andere Seite zu gehen; doch da war das Boot mit einemmal verschwunden. Sigmund kehrte nach Hause zurück und verstieß seine rachsüchtige Königin, die wenig später starb.
Sigmund heiratete erneut, und zwar die Königstochter Hjördis. Sie hatte ihn seinem Nebenbuhler Lyngvi vorgezogen. Lyngvi, einer von Hundings Söhnen, hatte nun endgültig genug und beschloß, Sigmund zu vernichten. Er zog mit einem Heer nach Hunenland und stellte sich zur Schlacht. Es kam zu einem erbitterten Kampf, in dem sich Sigmund, nun schon ein alter Mann, tapfer verteidigte. Mitten im Kampfgewühl tauchte ein einäugiger Mann in einem blauen Mantel auf, der einen Schlapphut auf dem Kopf und einen Speer in der Hand trug (Odin!). Der Mann versperrte Sigmund den Weg mit erhobenem Speer. Sigmund holte zum Schlag aus, doch sein Schwert zerbrach an dem Speer in zwei Stücke. Von diesem Augenblick an verließ die Verteidiger das Glück, und Sigmund wurde tödlich verwundet. (Eine ähnliche Begebenheit findet sich in der *Walküre*.)
Die schwangere Hjördis war, zusammen mit dem gesamten königlichen Schatz, an einen sicheren Ort im Wald gebracht worden. Nach dem Ende der Schlacht verließ sie ihr Versteck, um auf dem Kampfplatz nach ihrem Gatten zu suchen. Sie fand ihn schließlich. Sigmund rang mit dem Tode. Er vermochte noch zu prophezeien, daß der noch ungeborene Knabe ein großer und berühmter Mann werden würde, und trug Hjördis auf, die zerbrochene Klinge seines Schwertes zum Wohl des Sohnes aufzubewahren, der damit manche Heldentat vollbringen werde. Dann starb er. Bei Tagesan-

bruch landete eine Gruppe von Wikingern, die von Alf, einem Sohn des dänischen Königs Hjalprek, angeführt wurde. Dieser bot Hjördis seinen Schutz an und nahm sie samt Sigmunds Schatz mit nach Dänemark, wo sie nach der Geburt ihres Sohnes seine Gemahlin wurde.

Der dritte Abschnitt der Wölsungensaga berichtet über die Taten von Sigmunds und Hjördis' Sohn. Sigurd (Wagners Siegfried) wurde zum größten aller germanischen Helden. Und an dieser Stelle verbindet sich die Heldensage der Wölsunge mit dem Göttermythos vom großen Goldschatz mit seinem verhängnisvollen Ring. Sigurd wuchs in Ehren am dänischen Königshof auf. Sein Lehrmeister und Erzieher war der Schmied Regin. Noch immer sann der Zwerg auf Rache an seinem Bruder Fafnir, der als Drache seinen unrechtmäßig erworbenen Schatz bewachte. Regin brachte dem Knaben all die Fertigkeiten bei, die einem Prinzen angemessen waren, bemühte sich aber gleichzeitig, in seinem Schützling Unzufriedenheit mit seiner abhängigen Stellung bei Hofe zu wekken: Warum verwahrten der dänische König und sein Sohn Sigurds rechtmäßiges beträchtliches Erbe? Konnte Sigurd ihnen trauen? Erwiesen sie sich ihm gegenüber als großzügig genug? Warum besaß er kein eigenes Pferd?

Sigurd erwiderte, Hjalprek und Alf verstünden seinen Schatz besser zu hüten als er, und ein Pferd – oder was immer er wolle – könne er haben, wenn er nur darum bitte. Dann solle er doch von Hjalprek ein Pferd verlangen, stachelte Regin den Knaben auf. Sigurd begab sich zum König, und dieser gestattete ihm, aus seinem Gestüt das Pferd auszuwählen, das Sigurd am liebsten haben wollte. Als der Knabe tags darauf zur Weide ging, begegnete er einem alten Mann mit langem Bart, den er vorher noch nie gesehen hatte. Wir erfahren nicht, ob der Mann einäugig war, doch ist es zu vermuten, denn zweifellos handelte es sich um Odin. Der Fremde erteilte Sigurd Ratschläge, worauf er bei der Wahl eines Pferdes zu achten hatte, und gemeinsam wahlten sie eines aus, das von Sleipnir abstammte (und somit über außergewöhnliche Eigenschaften verfügt haben dürfte). Sie gaben ihm den Namen Grani.

Als nächstes weckte Regin in Sigurd den Wunsch nach Gold mit dem Hinweis, er wisse, wo es einen Schatz gebe, den man nur zu holen brauche. Ein Drache namens Fafnir bewache ihn in einer Höhle, die gar nicht weit entfernt liege. Sigurd brauche jedoch ein Schwert, um das Untier zu töten. Regin schmiedete ein Schwert, doch als der Held damit auf einen Amboß schlug, zersprang es. Regin fertigte ein neues, besseres an. Es zerbrach wie das erste. Nun suchte Sigurd seine Mutter auf und bat sie, ihm das zerbrochene Schwert seines Vaters auszuhändigen, das sie all die Jahre für ihn verwahrt hatte. Aus diesem offenbar ganz besonderen Metall

Alle hier abgebildeten Schnitzereien, die Motive der Sigurdsage darstellen, befinden sich auf dem Portal der Stabkirche von Hylestad, Oldsaksamling, Oslo (Norwegen)

Sigurd, rechts, zertrümmert sein Schwert, als er es auf seine Tauglichkeit hin prüft. Regin sieht ungehalten zu.

schuf Regin eine neue Klinge, die so hart war, daß sie einen Amboß spalten konnte, aber auch so scharf, daß sie eine auf dem Fluß treibende Wollflocke zerschnitt. Bevor Sigurd den Drachen angriff, zog er mit einem großen Heer gegen Hundings Söhne, um seinen Vater zu rächen, und tötete sie. Dann war er zur Begegnung mit Fafnir bereit.

Zusammen mit Regin ritt er zur Gnitaheide. Dort entdeckten sie die riesengroßen Abdrücke, die Fafnir auf dem Weg zu seiner Tränke im Boden hinterlassen hatte. Sigurd kamen Bedenken. Re-

Regin und sein Gehilfe fertigen aus Sigmunds zerbrochener Klinge ein neues Schwert an.

gin riet ihm, entlang des Weges, den der Drache nahm, einen Graben auszuheben, wo er dem Untier auflauern und ihm durch die ungeschützte Unterseite ins Herz stechen konnte, wenn es zum Wasser kroch. Sigurd bereitete diese Falle vor, wurde dabei aber von einem alten Mann (wer mochte das wohl sein?) unterbrochen, der ihm riet, eine Reihe von Gruben zu graben, in die das Blut des Drachen rinnen konnte, um zu verhindern, daß es Sigurd überströme. Sigurd befolgte diesen Rat und versetzte Fafnir den Todesstoß. Das »Drachenhortlied« der Edda überliefert die Unterhaltung zwischen dem sterbenden Fafnir und seinem Bezwinger.

Sigurd stößt dem Drachen das Schwert in den Leib

Darin warnt der Drache den jungen Mann vor dem Schicksal, das ihm drohe, wenn er den Schatz an sich nehme:

Das gleißende Gold und der glutrote Schatz –
es bringt der Hort dich zur Hel. (21)

Sigurd zeigt sich unbeeindruckt,

denn einmal müssen alle Menschen
zur Hel von hinnen fahren. (22)

Regin schläft, während Sigurd Fafnirs Herz brät und prüft, ob es gar ist. Als er vom Blut kostet, versteht er plötzlich die Sprache der Vögel über ihm in den Bäumen

Sowie das Ungeheuer sein Leben ausgehaucht hatte, trat Regin hinzu, schnitt ihm das Herz aus der Brust und trank von dem Blut aus der Wunde. Dann verlangte er von Sigurd, er solle ihm das Herz braten. Sigurd steckte es auf einen Spieß, den er über ein Feuer hielt. Als der Saft aus dem Herzen heraustropfte und es fertig gebraten schien, prüfte er, ob es auch wirklich gar sei. Dabei verbrannte er sich den Finger an dem heißen Fleisch und steckte ihn rasch in den Mund, um sich Linderung zu verschaffen. Von dem Augenblick an, da Fafnirs Blut auf seine Zunge gelangte, ver-

Sigurd befolgt den Rat der Vögel und tötet Regin

stand Sigurd die Sprache der Vögel. Über ihm in den Zweigen saßen einige Spechtmeisen, die sich zwitschernd miteinander unterhielten. Eine sagte (in der ersten Strophe des Eddaliedes »Die Vogelweissagung«):

Dort sitzt Sigurd, besudelt mit Blut,
brät am Feuer des Fafnir Herz.
Ratklug schiene der Ringbrecher,
äß' er den lichten Lebensmuskel.

Sigurds Pferd Grani, beladen mit dem Schatz von Fafnir dem Drachen

Andere Vögel stimmten ein, enthüllten Sigurd den Verrat, den Regin beabsichtigte, und schlugen vor, er solle den Schmied einen Kopf kürzer machen, sich die Reichtümer selbst aneignen und die Walküre Brünhild aufsuchen, die in einem Zauberschlaf auf Hindarfjall lag und ihn Weisheit lehren konnte. Sigurd befolgte den Rat der Vögel, zog sein Schwert und enthauptete Regin. Er aß von dem Drachenherz, hob den Rest für später auf, sprang auf sein Pferd Grani und folgte Fafnirs Spuren, die ihm den Weg zu dessen Höhle wiesen. Dort fand er einen Schatz, der so groß war, daß zwei oder drei gewöhnliche Pferde ihn kaum zu tragen vermocht hätten; dennoch lud er alles Grani auf, sprang in den Sattel und ritt davon.

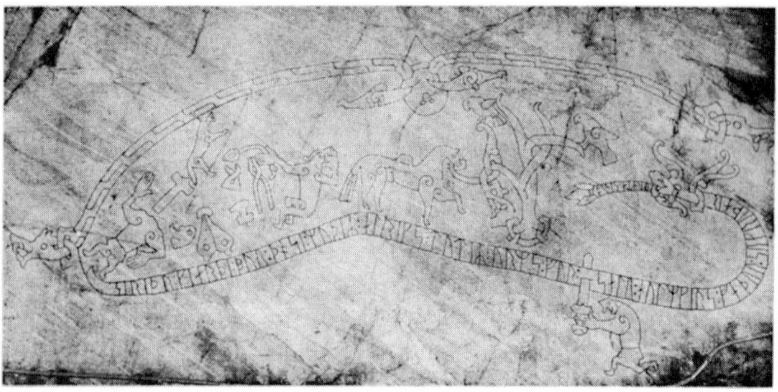

In schlangenähnlicher Form auf einem Runenstein eingeritzte Inschrift. Die Schlange soll den Drachen Fafnir darstellen, darunter Sigurd, der ihn von unten ersticht

An diesem Punkt beginnen die Komplikationen in Sigurds Leben, das bisher eher geradlinig verlaufen war; denn nun hatte er es plötzlich mit zwei willensstarken Frauen zu tun, mit Brünhild und Gudrun, seiner künftigen Gemahlin. Auch stoßen wir hier auf ein Durcheinander von Überlieferungen, und es ist nicht leicht, aus den verschiedenen Quellen eine einfache Geschichte zu gewinnen.

Die Wölsungensaga erzählt uns, wie Sigurd nach Hindarfjall hinaufritt und in der Ferne ein loderndes Feuer bemerkte. Als er näher kam, stellte er fest, daß die Flammen eine Festung umgaben. Unbeschadet durchritt er die Waberlohe und fand im Innern der Burg eine schlafende Gestalt in voller Rüstung. Sigurd nahm ihr den Helm ab, schlitzte die Rüstung auf – sein Schwert zerschnitt Metall, als wäre es Stoff – und sah eine Frau vor sich: die Walküre Brünhild, die Odin als Strafe für ihren Ungehorsam in einen langen Schlaf hatte sinken lassen. Sigurd erweckte sie und war von ihrer Schönheit und Klugheit hingerissen. Er verliebte sich in sie und sie sich in ihn, und sie schworen einander Treue.

Dann wird die Geschichte verworren. Sigurd ritt fort (warum?) und gelangte an den Hof von Brünhilds Ziehvater Heimir, wo seine Ankunft für Aufsehen sorgte. Brünhild hielt sich nun ebenfalls bei Heimir auf (wie war sie dorthin gekommen?), und wieder gestand Sigurd ihr seine Liebe. Dieses Mal hatte sie Bedenken, denn sie war eine Walküre, deren Aufgabe es war, Kämpfern in der Schlacht beizustehen. Sigurd aber sei es bestimmt, Gjukis Tochter Gudrun zu heiraten. Er bestritt, daß dies je geschehen könne, und wieder schworen er und Brünhild einander Treue. Sigurd schenkte ihr einen goldenen Ring – *den* goldenen Ring.

Dann geht es weiter in König Gjukis Reich südlich am Rhein. Gjuki war mit der zauberkundigen Grimhild vermählt und hatte mit ihr drei Söhne, Gunnar, Högni und Gutthorm, sowie eine Tochter, Gudrun. Brünhild war mit Gudrun befreundet, und die beiden unterhielten sich über Könige und deren Heldentaten. Dann deutete Brünhild den Traum, den Gudrun ihr erzählte, und sagte ihr Unheil voraus: Sie würde Sigurd heiraten und ihn nach kurzer Zeit wieder verlieren.

Sigurd traf mit all seinen Schätzen an Gjukis Hof ein. Der König hieß ihn willkommen, und Grimhild erkannte bald, daß Sigurd in jeder Hinsicht eine äußerst wünschenswerte Bereicherung für die Familie darstellen würde. Wenn er bloß nicht in Brünhild verliebt wäre! Grimhild löste das Problem, indem sie Sigurd einen Zaubertrank verabreichte, der ihn seine alte Liebe vergessen ließ. Um sicherzustellen, daß Sigurd, der sich ihm als große Stütze erwiesen hatte, in seinem Reich bliebe, bot Gjuki ihm die Hand seiner Tochter Gudrun, und Sigurd, aus dessen Erinnerung Brünhild völlig getilgt war, willigte gern ein. Es wurde ein prachtvolles Hochzeitsfest gefeiert, um die Verbindung zu besiegeln, und Gunnar, Högni und Sigurd schworen einander Blutsbrüderschaft. Danach begaben sich die männlichen Familienmitglieder auf Kriegsfahrt, von der sie mit reicher Beute zurückkehrten. Sigurd gab Gudrun von Fafnirs Herz zu essen, »und danach war sie weit grimmiger als zuvor, und auch weiser«.

Unterdessen verlangte es auch Gunnar nach Eheleben. Er beschloß, um Brünhild zu werben, und Sigurd willigte ein, ihm dabei behilflich zu sein. Brünhild war entschlossen, nur den Mann zu heiraten, der die Waberlohe um ihre Burg durchritt, und Gunnar wagte einen Versuch. Doch sein Pferd scheute vor den Flammen. Er bat Sigurd, ihm Grani zu leihen, aber auch Grani wagte den Sprung mit Gunnar auf dem Rücken nicht. Also vertauschten Sigurd und Gunnar ihr Äußeres, wie Grimhild es die beiden Blutsbrüder gelehrt hatte, und Sigurd bestieg Grani und sprang durch das lodernde Feuer. Drinnen in der Burg saß Brünhild majestätisch in Brünne und Helm. Sigurd/Gunnar verkündete, er habe die Waberlohe durchritten und somit Anspruch auf ihre Hand. Sie fügte sich und hieß ihn in ihrem Heim und ihrem Bett willkommen. Sigurd/Gunnar legte beim Schlafen sein blankes Schwert zwischen sich und Brünhild. Er schenkte ihr einen kostbaren Ring und erhielt von ihr den Goldring aus Fafnirs Schatz, den er ihr als Sigurd einst selbst zum Geschenk gemacht hatte. Dann ritt er durch die Flammen zurück, und die beiden Freunde nahmen wieder ihre eigene Gestalt an. Ein herrliches Hochzeitsfest wurde für Brünhild und Gunnar gehalten, und erst jetzt, da es zu spät war, erinnerte sich Sigurd an seine Begegnung mit Brünhild und die Eide, die sie einander geschworen hatten. Aber er ließ sich nichts anmerken.

Kurze Zeit später stritten Gudrun und Brünhild darüber, ob Sigurd oder Gunnar höher stehe. Brünhild erklärte, ihrem Gemahl gebühre der Vorrang, habe er doch die Waberlohe um ihre Halle durchritten. Daraufhin enthüllte Gudrun ihr, was damals tatsächlich geschehen war: daß nämlich Sigurd in Gunnars Gestalt die Flammenwand überwunden habe. Als Beweis konnte sie den Goldring vorzeigen, den Sigurd von Brünhild erhalten und seinerseits an seine Gemahlin weitergeschenkt hatte. Totenbleich vor Zorn entfernte sich Brünhild und begann, Pläne zu schmieden, wie sie sich an Sigurd und Gudrun, dem Mann und der Frau, die sie gedemütigt hatten, sowie an Gunnar, ihrem Gatten, der sie durch Betrug bekommen hatte, rächen konnte. Auch die Aussprache mit Sigurd, ja selbst das erneute Eingeständnis seiner Liebe zu ihr und sein Angebot, Gudrun zu verlassen, vermochten ihren Zorn und ihren Kummer nicht zu beschwichtigen.

In einer Unterredung mit ihrem Gatten wies Brünhild ihn auf die Gefahr hin, die die Anwesenheit eines so hervorragenden Kämpfers wie Sigurd an seinem Hof barg, und verlangte, daß er Sigurd beseitige:

Will heimfahren, woher ich kam,
zu nahen Verwandten wieder ziehen.
Da will ich liegen, das Leben verschlafen,
wenn du Sigurd nicht sinken läßt
und aller Herrscher höchster wirst.

(Das Jüngere Sigurdlied, 11. Str.)

Gunnar befand sich nun in einer recht verzwickten Lage. Er konnte Sigurd nichts antun, weil sie Blutsbrüder waren, dennoch hätte er dessen Schatz gern selbst besessen, und daß seine Frau ihn verließ, hielt er für eine unerträgliche Schmach. Aber auch Högni konnte Sigurd nicht angreifen; ja, dieser fühlte sich durch den Eid noch mehr gebunden als Gunnar. Da hatte Gunnar eine rettende Idee: Warum sollten sie nicht ihren jüngeren Bruder Gutthorm dazu bewegen, den Anschlag auszuführen? Er hatte ja keinen Eid geschworen. Die beiden Brüder drängten Gutthorm zu dem Mord, boten ihm Geld und Macht als Gegenleistung. Sie gaben ihm (in ihrer Zusammensetzung äußerst widerwärtige) Speisen mit Zauberwirkung zu essen, und auch Grimhild setzte ihre Zauberkünste ein. Schließlich gab Gutthorm nach.

Sigurd lag nichtsahnend im Bett. Gutthorm ging zweimal in sein Gemach, doch Sigurd war wach und sein Blick so furchteinflößend, daß Gutthorm entsetzt das Weite suchte. Beim drittenmal aber schlief Sigurd, und Gutthorm durchbohrte ihn mit seiner Klinge. Sigurd erwachte, ergriff sein Schwert und schleuderte es seinem Mörder nach. Es traf ihn, als er eben durch die Tür entfliehen wollte, und schnitt ihn mitten durch. Ein Teil seines Körpers fiel ins Zimmer zurück, der andere nach draußen. Gudrun, die in Sigurds Armen geschlafen hatte, erwachte blutdurchtränkt, und ihr Kummer kannte keine Grenzen. Bevor Sigurd starb, legte er Brünhild die Verantwortung für die Tat zur Last, erkannte aber auch an, daß ihm dieses Schicksal seit langem vorherbestimmt gewesen war. Als Brünhild Gudruns jammervollen Klageschrei vernahm, lachte sie laut. Dann machte sie Gunnar auf die Folgen des Mordes aufmerksam: Nun würden die Brüder nicht mehr auf Sigurds Unterstützung zählen können, wenn sie in die Schlacht zogen. Während der Vorbereitungen zu Sigurds Bestattung stieß sie sich ihr Schwert in die Brust. Mit letzter Kraft bat sie darum, gemeinsam mit Sigurd auf dem Scheiterhaufen verbrannt zu werden, das blanke Schwert wie einst zwischen ihnen. So endete der große Held nach einem Leben voller Gefahren, Ruhm und Verrat. (Wagner-Verehrer werden hier wesentliche Handlungselemente von *Siegfried* und der *Götterdämmerung* wiedererkennen.)

Die letzten Abschnitte der Wölsungensaga schildern Gudruns schreckliches Schicksal nach dem Tod ihres Gatten. Eine Zeitlang versteckte sie sich in den Wäldern, danach lebte sie im Exil in Dänemark. Dort spürten ihre Brüder sie auf und boten ihr Wiedergutmachung für ihren Verlust. Grimhild stellte wieder einmal einen Zaubertrank her, der Gudrun all ihren Kummer vergessen ließ. Dann vermählte ihre Familie sie gegen ihren Willen mit dem Hunnenkönig Atli, Brünhilds Bruder. Atli begehrte den Schatz, den Sigurd hinterlassen hatte und der sich nun in den Händen der Brüder befand. In verräterischer Absicht lud er Gunnar und Högni zu einem Besuch auf seine Burg ein. Gudrun versuchte vergeblich, ihre Brüder zu warnen: die von Atlis Gesandten verkündete Absicht des Hunnenkönigs, ihnen die Gewalt über sein Reich zu

geben, war zu verführerisch. Also machten sie sich auf den Weg. Waffenlärm und schwerbewaffnete Krieger enthüllten den geplanten Verrat, doch Gunnar und Högni ritten beherzt in Atlis Burg ein. Dort führten sie eine regelrechte Schlacht gegen Atlis Männer. Als Gudrun ihre Brüder in schwerer Bedrängnis sah, nahm sie Schwert und Brünne und griff auf ihrer Seite in den Kampf ein. Es kam zu einem schrecklichen Gemetzel, in dessen Verlauf Gunnar und Högni schließlich gefangengenommen und in Ketten gelegt wurden.
Atli machte Gunnar ein Angebot: Er könne sein Leben retten, wenn er das Versteck des Schatzes preisgebe. Doch Gunnar bestand darauf, daß man ihm zuvor das Herz seines Bruders Högni vorlege, als Beweis dafür, daß dieser tot sei. Atlis Männer schnitten einem feigen Sklaven das Herz aus der Brust, brachten es Gunnar und behaupteten, es sei Högnis Herz. Gunnar weigerte sich, dies zu glauben; denn das Herz bebte vor Angst, wie das seines Bruders niemals beben würde. Die Hunnen sahen sich gezwungen, nun doch Högni das Herz herauszuschneiden, der während der Prozedur nur verächtlich lachte. Dann brachten sie es Gunnar. Diesmal erkannte er das Herz als das seines Bruders. Und nun zerstörte er alle Hoffnungen Atlis, den Schatz in seinen Besitz zu bringen:

> Nun weiß ich allein, wo das Gold ist; jetzt kann Högni es dir nicht mehr sagen. Bald kam dies, bald jenes mir in den Sinn, da wir beide lebten, aber jetzt habe ich für mich allein zu entscheiden: lieber mag denn der Rhein des Goldes walten, als daß die Hunnen es an ihren Händen tragen.

Atli ließ Gunnar in eine Schlangengrube werfen. Seine Hände waren gefesselt, doch Gudrun steckte ihm eine Harfe zu. Mit den Zehen entlockte er dem Instrument eine Melodie und schläferte die Schlangen auf diese Weise ein. Schließlich schlug aber doch eine Natter ihren Giftzahn in sein Fleisch, und Gunnar starb.
Da sowohl Atli als auch Gudrun Freunde und Verwandte zu beklagen hatten, kamen sie überein, gleichsam zur Versöhnung eine

Gunnar liegt gefesselt in der Schlangengrube und versucht vergeblich, die Schlangen zu beschwören. Schnitzerei am Portal der Stabkirche von Hylestad, Oldsaksamling, Oslo, (Norwegen)

gemeinsame Totenfeier zu halten – zumindest glaubte Atli dies. Beim Leichenschmaus servierte Gudrun ihrem Gatten die Herzen ihrer gemeinsamen Söhne, mischte ihr Blut mit Wein und reichte Atli den Trank in Bechern, die sie aus den Hirnschalen der Kinder gemacht hatte. Danach erstachen sie und einer von Högnis Söhnen Atli und setzten die Halle in Brand.

Gudruns Leidensweg war indes noch immer nicht zu Ende. Ihre schöne Tochter Swanhild war mit dem betagten König Jörmunrek verlobt. Dieser verdächtigte sie der Untreue und ließ sie von Pferdehufen zerstampfen. Gudrun forderte ihre Söhne von König Jonaker auf, den Tod ihrer Schwester zu sühnen. Hamdir und Sörli griffen Jörmunrek in seiner Burg an und schnitten ihm Arme und Beine ab. Bevor sie ihn jedoch töten konnten, rief der König seinen Mannen zu, sie sollten seine Angreifer steinigen (ihre Rüstungen waren gegen Angriffe mit Eisen gefeit), und so kamen sie um. Fafnirs Erbe, das mit einem Fluch belegte Gold, aber war, laut Snorri, inzwischen im Rhein versenkt worden, »und dieses Gold wurde seitdem niemals gefunden.«

Literaturhinweise

(Von Rudolf Simek)

Das Studium der nordischen Mythologie ist eine komplizierte Angelegenheit, und dieses Buch kann nur eine erste Einführung und einen allgemeinen Überblick geben. Selbst die genannten Quellen bergen mehr Probleme, als hier angedeutet wurde – es existieren unterschiedliche Fassungen von Texten und unterschiedliche Übersetzungen und Auslegungen. Für diejenigen, die sich intensiver mit der Materie beschäftigen möchten, sind die folgenden Hinweise gedacht:

Behm-Blancke, Günter: Heiligtümer der Germanen und ihrer Vorgänger in Thüringen – die Kultstätte Oberdorla. Darmstadt 2002/03. (Forschungen zum alteuropäischen Religions- und Kultwesen. Weimarer Monographien zur Ur- und Frühgeschichte Bd. 38.)

Beck, Heinrich u. a. (Hrsg.): Germanische Religionsgeschichte. Quellen und Quellenprobleme. Berlin 1992. (Ergänzungsbände zum Reallexikon der Germanischen Altertumskunde 5.)

Capelle, Torsten: Anthropomorphe Holzidole in Mittel und Nordeuropa. Stockholm 1995.

Die Edda des Snorri Sturluson. Ausgewählt, übersetzt und kommentiert von Arnulf Krause. Stuttgart 1997. (Reclams Universal-Bibliothek 782.)

Die Götter- und Heldenlieder der älteren Edda. Übersetzt, kommentiert und herausgegeben von Arnulf Krause. Stuttgart 2004. (Reclams Universal-Bibliothek 18142.)

P. Cornelius Tacitus: Germania. Interpretiert, herausgegeben, übertragen, kommentiert und mit einer Bibliographie versehen von Allan A. Lund. Heidelberg 1988.

Padberg, Lutz von: Mission und Christianisierung. Formen und Folgen bei Angelsachsen und Franken im 7. und 8. Jahrhundert. Stuttgart 1995.

Simek, Rudolf: Götter und Kulte der Germanen. München 2004.

– Lexikon der germanischen Mythologie. Stuttgart ^{3}2006.

– Die Wikinger. München ^{5}2009.

– Religion und Mythologie der Germanen. Darmstadt ^{2}2014.

Tacitus: Germania. Hrsg. und übers. von Manfred Fuhrmann. Stuttgart 1972. (Reclams Universal-Bibliothek 9391.)
Vries, Jan de: Altgermanische Religionsgeschichte. 2 Bde. Berlin / New York [3]1970.

Die Abbildungen sind sämtlich der englischen Originalausgabe entnommen, in der sich auch die entsprechenden Nachweise finden.

Register